Pe. ARTUR BONOTTI, C.Ss.R.

CATECISMO DA FAMÍLIA

EDITORA
SANTUÁRIO

DIREÇÃO EDITORIAL:
Pe. Fábio Evaristo Resende Silva, C.Ss.R.

REVISÃO:
Manuela Ruybal

COORDENAÇÃO EDITORIAL:
Ana Lúcia de Castro Leite

DIAGRAMAÇÃO:
Bruno Olivoto

COPIDESQUE:
Luana Galvão

CAPA:
Mauricio Pereira

**Dados de Catalogação na Publicação (CIP) Internacional
(Câmara Brasileira do Livro, SP, Brasil)**

Bonotti, Artur, 1905-
    Catecismo da família / Artur Bonotti. – Aparecida, SP: Editora Santuário, 1989.

    ISBN 85-7200-540-4

    1. Família – Vida religiosa 2. Igreja Católica – Catecismos I. Título.

89-1291

CDD-268.61
-248.4

Índices para catálogo sistemático:
1. Catecismo: Textos: Instrução religiosa 268.61
2. Família: Prática religiosa: Cristianismo 248.4

Nihil obstat:
    Pe. José Oscar Brandão, C.Ss.R.
    Aparecida, 15 de outubro de 1981

Imprimatur:
    D. Geraldo M. M. Penido
    Arc. Metropolitano

Foto da imagem: Fabio Colombini

51ª impressão

Todos os direitos reservados à **EDITORA SANTUÁRIO** — 2021

Rua Pe. Claro Monteiro, 342 – 12570-000 – Aparecida-SP
Tel.: 12 3104-2000 – Televendas: 0800 - 0 16 00 04
www.editorasantuario.com.br
vendas@editorasantuario.com.br

DUAS PALAVRAS DE APRESENTAÇÃO

Leitores, não vos apresento um "novo catecismo". Entrego-vos modestamente um catecismo simples. Espero que seja também muito claro e sugestivo. Talvez seja uma "novidade" a volta singela e audaz à "velha apresentação" de perguntas e respostas...

Por que isso? Importância decisiva tem o desejo muito geral das famílias e do povo que reclamam sempre mais "o catecismo!"

Além disso, essa forma de perguntas e respostas – valha também essa consideração tirada da psicologia didática – não é a forma viva, natural e real? Não vivem as crianças fazendo, sem parar, uma e mil perguntas sobre todos os assuntos e também sobre a religião?

Mais. Perguntar e responder é a forma mais natural do diálogo que anima e clareia o assunto.

Em família é, evidentemente, o melhor método para animar as instruções das mães a seus filhos.

É evidente que a resposta deve ser devidamente explanada. Falhas que houve não desmerecem o método de perguntas e respostas... eram falhas didáticas dos que ensinavam.

Recordemos ainda o seguinte: o que são as pequenas e preciosas enciclopédias e dicionários senão as breves respostas a nossas mil perguntas? Enfim, valha também esta grande consideração: lendo com atenção os evangelhos, veremos como eram frequentes, muito frequentes, as perguntas dos apóstolos e do povo...e como Jesus era mestre insigne em fazer perguntas para dar em seguida as divinas respostas.

Amigo! Se te agradar este catecismo, leva-o e medita-o com fé e vagar!...

Se te agradar outro método, dá-lhe toda preferência! Mas não se esqueças de ter e estimar muito o teu catecismo, o catecismo da tua família!

Acrescentamos as seguintes considerações didáticas:

1. As respostas breves e claras têm um grande valor na aprendizagem das verdades transmitidas. É o segredo de alguns cursos que gozam de reconhecida eficiência.

2. Mais. Há grandes mestres de didática que afirmam e com toda razão:

"Aulas que não se concretizam em uma aprendizagem exata e firme das respostas e formulações claras são aulas perdidas".

3. Enfim, a psicologia profunda ensina e constata o seguinte: as verdades bem formuladas e bem aprendidas perduram no subconsciente e, mesmo que depois se esqueçam das fórmulas, elas continuam atuando sobre a inteligência e na formação de novos conceitos.

Apresentando este modesto **Catecismo das Famílias,** procuramos seguir carinhosamente as normas dadas pelo grande e querido Papa João Paulo I em seu magnífico documento *Catechesi Tradendae*.

ORAÇÕES DO CRISTÃO

O Sinal Da Cruz
Pelo sinal † da Santa Cruz, livrai-nos, Deus † Nosso Senhor, dos nossos † inimigos. Em nome do Pai e do Filho e do Espírito Santo. Amém.

Pai-Nosso
Pai nosso, que estais nos céus, santificado seja o vosso nome; venha a nós o vosso reino; seja feita a vossa vontade, assim na terra como no céu.

O pão nosso de cada dia nos dai hoje; perdoai-nos as nossas ofensas; assim como nós perdoamos a quem nos tem ofendido. Não nos deixeis cair em tentação. Mas livrai-nos do mal. Amém.

Ave-Maria
Ave, Maria, cheia de graça, o Senhor é convosco, bendita sois vós entre as mulheres e bendito é o fruto do vosso ventre, Jesus.

Santa Maria, Mãe de Deus, rogai por nós, pecadores, agora e na hora de nossa morte. Amém.

Glória ao Pai
Glória ao Pai, ao Filho e ao Espírito Santo. Como era no princípio, agora e sempre. Amém.

Oração ao Espírito Santo
Vinde, Espírito Santo, enchei os corações dos vossos fiéis e acendei neles o fogo do vosso amor. Enviai o vosso Espírito e tudo será criado. E renovareis a face da terra.

Oremos. Deus, que instruístes os corações dos vossos fiéis com a luz do Espírito Santo, fazei que apreciemos retamente todas as coisas segundo o mesmo Espírito e gozemos sempre da sua consolação. Por Cristo, Senhor nosso. Amém.

CREDO
Creio em Deus Pai todo-poderoso, criador do céu e da terra; e em Jesus Cristo, seu único Filho, nosso Senhor, que foi concebido pelo poder do Espírito Santo; nasceu da Virgem Maria; padeceu sob Pôncio Pilatos; foi crucificado, morto e sepultado; desceu à mansão dos mortos; ressuscitou ao terceiro dia; subiu aos céus, está sentado à direita de Deus Pai todo-poderoso, donde há de vir a julgar os vivos e os mortos. Creio no Espírito Santo, na santa Igreja católica, na comunhão dos santos, na remissão dos pecados, na ressurreição da carne, na vida eterna. Amém.

SALVE-RAINHA
Salve, Rainha, Mãe de misericórdia, vida, doçura e esperança nossa, salve! A vós bradamos, os degredados filhos de Eva; a vós suspiramos, gemendo e chorando neste vale de lágrimas. Eia, pois, Advogada nossa, esses vossos olhos misericordiosos a nós volvei e depois deste desterro mostrai-nos Jesus, bendito fruto do vosso ventre, ó clemente, ó piedosa, ó doce Virgem Maria! Rogai por nós, Santa Mãe de Deus, para que sejamos dignos das promessas de Cristo. Amém.

ATO DE FÉ
Ó meu Deus, creio em vós, porque sois a Verdade eterna. Creio tudo o que a Santa Igreja me ensina. Aumentai a minha fé!

Ato de esperança
Ó meu Deus, espero em vós, porque, sendo infinitamente poderoso e misericordioso, sois sempre fiel em vossas promessas. Fortificai a minha esperança!

Ato de amor
Ó meu Deus, eu vos amo de todo o meu coração, porque sois infinitamente bom e amável. Por vosso amor, amo também ao meu próximo. Inflamai o meu amor!

Ato de contrição
Meu Deus, tenho muita pena de ter pecado. Pois ofendi a vós e mereci ser castigado, meu Pai e meu Salvador. Perdoai-me, Senhor. Não quero mais pecar.

O anjo do Senhor
V. O Anjo do Senhor anunciou a Maria.
R. E ela concebeu do Espírito Santo.
Ave, Maria...
V. Eis aqui a serva do Senhor.
R. Faça-se em mim segundo a vossa palavra.
Ave, Maria...
V. E o Verbo se fez carne.
R. E habitou entre nós.
Ave, Maria...
V. Rogai por nós, Santa Mãe de Deus.
R. Para que sejamos dignos das promessas de Cristo.
Oremos. Infundi, Senhor, nós vos rogamos, a vossa graça em nossos corações, para que nós, que conhecemos pela anunciação do anjo a encarnação de Jesus Cristo, vosso Filho, por sua paixão e morte na Cruz, cheguemos à glória da ressurreição. Pelo mesmo Cristo, nosso Senhor. Amém.

Oração da Manhã

Em nome do Pai, do Filho e do Espírito Santo. Amém.

Senhor Deus, nosso Pai, nós cremos em vós. Nós esperamos em vós. Nós vos amamos. Nós vos agradecemos este dia que começa. Nós vos damos graças, porque estamos com vida e nós vos oferecemos este dia com todas as nossas alegrias e sofrimentos, com todos os nossos trabalhos e divertimentos. Guardai-nos do pecado e fazei de nós um instrumento da vossa paz e do vosso amor. Ajudai-nos a observar os vossos mandamentos. Amém.

Reze três Ave-Marias a Nossa Senhora com a jaculatória.
Ó Maria, concebida sem pecado, rogai por nós que recorremos a vós!

Oração do Anjo da Guarda

Santo Anjo do Senhor, meu zeloso guardador, se a ti me confiou a piedade divina, sempre me rege, guarda, governa e ilumina. Amém.

Oração para as Refeições

ANTES: Abençoai-nos, Senhor, e a este alimento que vamos tomar, graças à vossa bondade. Pai Nosso...
DEPOIS: Nós vos agradecemos, Deus todo-poderoso, todos os benefícios que nos fizestes, especialmente este alimento que acabamos de tomar. Ave, Maria...

Oração da Noite

Ó meu Deus, eu vos amo de todo o meu coração. Dou-vos graças por todos os benefícios que me fizestes, especialmente por me haverdes feito cristão e conservado durante este dia. Creio em vós. Espero em vós. Ofereço-vos tudo que hoje fiz de bom e peço-vos que me livreis de todo o mal.

(Exame de consciência)
Pesa-me de vos ter ofendido, porque vos amo e mereci o inferno. Proponho com a vossa graça emendar-me e nunca mais vos ofender. Da vossa infinita misericórdia espero o perdão de minhas culpas. Conservai-me sempre na vossa amizade e tende piedade de todos aqueles que vivem no pecado e longe da salvação. Sagrado Coração de Jesus, tenho confiança em vós. Que vossa bênção permaneça sempre com a minha família! Amém.

Reze três Ave-Marias a Nossa Senhora, com a jaculatória.
Ó Maria, concebida sem pecado, rogai por nós que recorremos a vós!

Leia um trecho da Bíblia. Antes de dormir, pense nesta mensagem:
Um dia, hei de morrer; mas não sei onde, não sei quando e não sei como. Só sei com certeza: se morrer em pecado mortal, estarei perdido para sempre! Quero salvar a minha alma custe o que custar!...

Reze também pelas almas do purgatório:
Dai-lhes, Senhor, o descanso eterno! E a luz perpétua as ilumine. Descansem em paz! Amém.

ORAÇÃO DA FAMÍLIA
Jesus, Maria e José, Modelo da Família, hoje a nossa família se coloca sob vossa proteção.

Abençoai não só a nossa família, mas a todas as famílias: as que estão em paz ou em desarmonia, as unidas ou desunidas, as famílias ricas ou famílias pobres. Todas precisam de vossa proteção.

Que em nossas famílias não falte o pão, aquele que o pai ganha com o seu trabalho, a mãe prepara com o seu amor e é repartido na comunhão. Que não falte também a compreensão, que perdoa os erros e festeja os acertos; que é gesto, é carinho, é doação, mesmo na dor, quanto na alegria.

Senhora Aparecida, ajudai-nos hoje e sempre a fazer de nossa família uma esperança da Igreja e o alicerce de um mundo novo.

Oração do Papa a Nossa Senhora Aparecida

"Mãe de Deus e nossa, protegei a Igreja, o Papa, os Bispos, os Sacerdotes e todo o Povo fiel; acolhei sob vosso manto protetor os religiosos, religiosas, as famílias, as crianças, os jovens e seus educadores! Saúde dos Enfermos e Consoladora dos Aflitos, sede conforto dos que sofrem no corpo ou na alma; sede luz dos que procuram Cristo, Redentor do Homem; a todos os homens mostrai que sois a Mãe de nossa confiança.

Rainha da Paz e Espelho da Justiça, alcançai para o mundo a paz, fazei que o Brasil tenha paz duradoura, que os homens convivam sempre como irmãos, como filhos de Deus!

Nossa Senhora Aparecida, abençoai este vosso Santuário e os que nele trabalham, abençoai este povo que aqui ora e canta, abençoai todos os vossos filhos, abençoai o Brasil. Amém."

1ª LIÇÃO – A PRIMEIRA GRANDE PERGUNTA

• Quem somos nós?

Somos criaturas humanas compostas de corpo e alma e dotadas de inteligência e de vontade livre. Nosso corpo é mortal e nossa alma é espiritual e imortal.

Somos misteriosos peregrinos deste mundo rumo à eternidade.

• E quem nos criou?

Foi Deus quem nos criou, quem nos deu a existência, a vida, e tudo o que somos e possuímos. Somos todos irmãos. Tudo é para todos.

• E para que vivemos neste mundo?

Vivemos neste mundo para conhecer e amar a Deus, nosso divino Criador.

Vivemos também neste mundo para sermos bons, felizes e realizados nesta vida e, assim, alcançar a felicidade eterna.

• Como podemos alcançar esse nosso fim?

Alcançaremos nosso fim cumprindo a vontade de Deus, nosso Criador, que se manifesta nos ensinamentos da fé cristã.

• Onde encontramos esses ensinamentos da fé cristã?

Encontramos esses ensinamentos da fé cristã na Sagrada Escritura e na Tradição, que é uma autêntica complementação da Sagrada Escritura.

• O QUE É CATECISMO?

O catecismo católico é um precioso e claro resumo das doutrinas de fé e de moral, contidas na Sagrada Escritura e na Tradição.

I PARTE
NOSSA FÉ – OS GRANDES MISTÉRIOS

2ª LIÇÃO – O MISTÉRIO MAIS LUMINOSO: DEUS

• QUEM É DEUS?

Deus é o Ser Eterno.
Deus é o Criador do céu e da terra.
"No princípio criou Deus o céu e a terra. Deus é também nosso Pai celestial: Pai nosso, que estais no céu!"

• COMO CONHECEMOS A DEUS?

1. A luz da inteligência nos faz conhecer Deus pela contemplação do mundo visível.

2. A voz da consciência nos fala sempre do Deus bom e justo.

3. Conhecemos Deus, com mais perfeição, pela luz da revelação da fé.

• POR QUE CHAMAMOS ESSE MISTÉRIO DE "O MISTÉRIO MAIS LUMINOSO"?

Chamamos esse mistério de "o mistério mais luminoso" porque "o mistério de **Deus**" brilha fulgurante no sol e nos astros; brilha no sorriso das flores coloridas; brilha nas asas multicores dos pássaros; brilha no sabor das frutas; brilha vivo e eloquente no olhar das crianças; brilha nos lampejos da inteligência humana...

Quem não conhece a Deus anda nas trevas (cf. Jo 1,1 e ss.)

3ª LIÇÃO – PERFEIÇÕES DIVINAS

• Que quer dizer Deus é infinitamente perfeito?

Deus é infinitamente perfeito porque possui todas as perfeições em grau infinito.

• Quais são as principais perfeições de Deus?

Deus é eterno, todo-poderoso, imenso, infinitamente sábio, santo, justo e misericordioso.

Estudemos brevemente as perfeições divinas: Deus é eterno, não teve princípio nem jamais terá fim. (1Tm 1,17): *Ao Rei dos séculos, imortal, invisível, ao único Deus seja dada honra e glória por todo sempre.*

Deus é **todo-poderoso**, pode fazer tudo o que Ele quiser. (Sl 134,6): *O Senhor Deus realiza tudo quanto quer no céu e na terra...*

Deus é **imenso**, está presente no céu, na terra, em todo lugar. O salmista fala dessa perfeição divina de uma forma muito poética no Salmo 138.

Deus é infinitamente **sábio**. A ciência divina é infinita. As leis maravilhosas que regem o universo dão uma ideia da infinita ciência de Deus.

Deus é infinitamente **santo**, sempre quer e ama o bem e as virtudes e odeia o mal. (Ap 4,8): *Santo, Santo, Santo é o Senhor Deus onipotente*.

Deus é infinitamente **justo**, sempre premia o bem, as virtudes, e castiga o mal. (Rm 2,6): *Deus retribuirá a cada um segundo suas obras*. Na eternidade, veremos com toda clareza essa infinita justiça divina.

Deus é infinitamente **misericordioso**, sempre chama o pecador à penitência, sempre oferece o perdão e sempre tem um misterioso e divino prazer em perdoar o pecador arrependido. "Pai, perdoai-lhes, não sabem o que fazem!"

As parábolas do Bom Pastor e do Filho pródigo são um comovente hino à infinita e paternal misericórdia de Deus!

4ª LIÇÃO – O MISTÉRIO MAIS PROFUNDO

• Qual é o mais profundo dos mistérios?

O mistério mais profundo é o mistério que nos fala da vida e da essência divina.

• Em que consiste esse mistério?

Esse mistério nos revela a verdade impenetrável de um só Deus em três pessoas divinas. Deus Pai, Deus Filho e Deus Espírito Santo. Três pessoas divinas e uma só natureza divina participada igualmente pelas três pessoas.

• Como se chama esse mistério?

Esse mistério chama-se Mistério da Santíssima Trindade.

• Como conhecemos esse mistério?

Conhecemos esse mistério pela revelação divina, principalmente pela revelação de Jesus, que nos falou várias vezes desse mistério. Principalmente Jesus nos falou de forma solene na hora da Ascensão, dizendo: "Ide e ensinai todos os povos e batizai-os em nome do Pai, do Filho e do Espírito Santo".

- **Como celebra a liturgia essa devoção – devoção essencial – em suas orações e ritos sagrados?**

A liturgia dá importância primordial a essa devoção:

1º) Com a administração dos sacramentos, por exemplo, no batismo.

2º) As orações litúrgicas terminam quase sempre com uma invocação trinitária.

3º) Começa seus ofícios litúrgicos, encerra os salmos com a invocação trinitária e encerra seus hinos com a solene doxologia, isto é, com o "Glória ao Pai, ao Filho e ao Espírito Santo" e com versos trinitários.

5ª LIÇÃO – AS MARAVILHOSAS CRIATURAS CELESTIAIS – OS ANJOS

I. Quais são as mais perfeitas criaturas que Deus criou?

As mais perfeitas criaturas que Deus criou, e cuja existência conhecemos pela revelação, são os Anjos.

- **Que são os anjos?**

Os anjos são seres espirituais, dotados de maravilhosa inteligência e de vontade livre.

Sendo seres espirituais não têm corpo material como os homens.

(Dn 77,10): *Um milhão de ministros o serviam...*

(Ef 1,21 e Cl 1,16): *São Paulo fala das diversas ordens de Anjos.*

• FICARAM TODOS OS ANJOS FIÉIS A DEUS, O SEU CRIADOR E SENHOR?

Não. Sabemos pela revelação que muitos anjos se rebelaram contra Deus e, assim, foram condenados ao inferno. A Escritura nos fala com toda clareza dessa misteriosa tragédia.

(2Pd 2,4): *Deus não perdoou os anjos que pecaram, mas os precipitou no abismo do inferno*.

• PODEM OS ANJOS MAUS, OU DEMÔNIOS, TENTAR OS HOMENS E LEVÁ-LOS AO MAL?

Sim, por uma misteriosa permissão divina, os demônios podem tentar os homens e induzi-los ao mal e ao pecado. (1Pd 5,8...): *Sede sábios e vigiai, porque o demônio, vosso adversário, anda ao redor de vós como um leão que ruge, buscando a quem possa devorar; resisti-lhe fortes na fé*. Jesus chama o demônio "homicida desde o princípio". "Mentiroso e pai da mentira" (Jo 8,44).

• QUE FAZEM OS ANJOS QUE PERMANECERAM FIÉIS A DEUS, SEU CRIADOR?

Os anjos fiéis – chamados anjos bons:

1. Adoram e louvam eternamente a Deus, seu Criador. (Ap 4,8): *Não cessavam os anjos, dia e noite, de proclamar: Santo é o Senhor Deus onipotente!*

2. Gozam para sempre a glória e felicidade do céu.

3. São os divinos mensageiros das disposições divinas.

4. E, por uma bondosa e paternal providência divina, amam e protegem os homens. Salmo 90,11: *Deu ordens a seus anjos acerca de ti, que te guardem em todos os teus caminhos*.

Leiamos o lindo livro de Tobias.

II. Que nos ensina a revelação sobre os Anjos da Guarda?

Os Anjos da Guarda são os anjos que Deus, bondoso Pai, deu aos homens para protegê-los na terra e guiá-los com amor e fidelidade no caminho do céu. Jesus mesmo nos disse essa linda e importante palavra: "Vede! Não desprezeis nenhum desses pequeninos! Porque, eu vos digo, os anjos deles, no céu, contemplam incessantemente a face de meu Pai!" (Mt 18,10). Recordemos a bela história de Tobias, citada acima, e a impressionante narrativa de São Pedro libertado do cárcere... "E eles diziam: deve ser o Anjo dele" (At 12,15).

- **Que nos ensina a Igreja sobre a devoção aos Anjos da Guarda?**

A liturgia, instituindo a bela festa dos Anjos da Guarda, exorta-nos e nos anima a cultivar com carinho e gratidão essa prática de piedosa devoção. A festa litúrgica é no dia 2 de outubro.

6ª – LIÇÃO – O SINAL DA NOSSA FÉ

- **Como professamos nossa fé cristã?**

Professamos nossa fé cristã fazendo o sinal da cruz, acompanhando-o com as palavras: "Em nome do Pai e do Filho e do Espírito Santo".

- **Por que o sinal da cruz é o sinal sagrado e característico do cristão?**

Por duas grandes razões:

1. Porque rezando as palavras: "Em nome do Pai e do Filho e do Espírito Santo", professamos nossa fé no mistério da Santíssima Trindade.

2. Porque traçando o sinal da cruz, nós manifestamos nossa fé na morte redentora de Cristo no Calvário.

• Quando devemos fazer o sinal da cruz?

Devemos fazer o sinal da cruz com frequência, principalmente: pela manhã e à noite; antes e depois das orações e das refeições. Recomenda-se, insistentemente, fazê-lo nos perigos e nas tentações, porque o sinal da cruz nos alcança as bênçãos celestes e a proteção divina, como vemos na vida dos santos.

Recordemos, além disso, que a Liturgia prescreve o sinal da cruz em várias ocasiões, como na missa, nas bênçãos e na administração dos sacramentos.

7ª LIÇÃO – DEUS – NÓS E O UNIVERSO

• O universo sempre existiu?

Não. Deus – o Eterno – criou o imenso e maravilhoso universo com todos os seus mistérios e com seus misteriosos milhões de anos...

Sim, foi Deus, o Eterno, quem criou o sol e as estrelas, e a infinita variedade de seres vivos.

(Gn 1,1): *No princípio criou Deus o céu e a terra... Faça-se a luz!... e a luz foi feita...* Rezemos o belo Salmo 8.

• O QUE QUER DIZER CRIAR?

Criar quer dizer fazer ou tirar, do nada, alguma coisa. Só Deus Onipotente e Eterno pode criar. (Gn 1,1ss.): *No princípio Deus criou o céu e a terra...* À luz dessa verdade, leiamos o majestoso primeiro capítulo da Bíblia.

• POR QUE E PARA QUE FIM CRIOU DEUS O UNIVERSO?

Eis uma questão que ultrapassa nossa inteligência. Iluminados, porém, pela fé e guiados pela razão, podemos dizer: Deus criou o mundo para sua glória e para a felicidade das criaturas.

(Sl 18):... *Os céus proclamam a glória de Deus...*

• FAÇAMOS TAMBÉM A PERGUNTA PROFUNDA E COMOVENTE:

E **Deus, o Criador, ama suas criaturas?** Sim. Deus, o Criador, ama com misterioso amor e carinho divinal todas as suas criaturas. Por essa razão, Deus as conserva e as governa e as assiste com sua divina sabedoria e providência.

8ª LIÇÃO – O HOMEM – A MAIS NOBRE E PERFEITA CRIATURA DA TERRA

• QUEM CRIOU O HOMEM?

Foi Deus quem criou o homem, dando-lhe um corpo material e uma alma espiritual, dotada de inteligência e de livre vontade.

(Gn 2,7): *O Senhor Deus formou, pois, o homem do barro da terra e inspirou-lhe no rosto um sopro de vida, e o homem tornou-se um ser vivente.*

• Para que Deus nos criou?

Sendo Deus a bondade infinita, Ele nos criou para conhecê-lo e amá-lo e para, assim, tornarmo-nos participantes de sua felicidade.

• Como se chama o primeiro homem?

O primeiro homem chama-se Adão e a primeira mulher chama-se Eva. A primeira mulher – como diz a Escritura – foi formada do primeiro homem. Como isso se realizou é um grande mistério para nós. Adão e Eva são nossos primeiros pais e deles procedem todos os homens.

• Qual foi o dom mais precioso que Deus concedeu a nossos primeiros pais?

O dom mais precioso que Deus concedeu a nossos primeiros pais foi a graça santificante, que os fez misteriosamente participantes da natureza divina, filhos de Deus e herdeiros do céu.

Pela natureza humana, somos peregrinos desta terra e, pela graça, somos peregrinos da pátria celestial.

9ª LIÇÃO – UM CAPÍTULO TRISTE NA HISTÓRIA DOS NOSSOS PRIMEIROS PAIS

• Onde colocou Deus nossos primeiros pais após a criação?

Deus colocou nossos primeiros pais em um lugar de paz e felicidade, chamado Paraíso Terrestre, ou Éden (Gn 2,15).

- **FICARAM ADÃO E EVA SEMPRE NO PARAÍSO?**

Não. Nossos primeiros pais, infelizmente, pecaram gravemente desobedecendo às ordens divinas. Assim, foram lançados fora do Paraíso, perderam a graça divina e o direito ao céu, ficando sujeitos à dor e à morte.

- **O PECADO DE NOSSOS PRIMEIROS PAIS CAUSOU ESSES MALES SOMENTE A ELES?**

Não. O pecado de nossos primeiros pais prejudicou também todos os seus descendentes:

1º) Privando-os do direito de herdar – com a filiação humana – a graça santificante e o direito ao céu.

2º) Tornando-os sujeitos à dor, à ignorância e à morte.

(Rm 5,12): *Por isso, como por um só homem entrou o pecado no mundo e pelo pecado a morte, assim a morte passou a todos os homens porque todos pecaram...*

10ª LIÇÃO – BRILHA A LUZ DA MISERICÓRDIA DIVINA

- **DEPOIS DO PECADO E DA EXPULSÃO DO PARAÍSO, TERIA DEUS ABANDONADO O HOMEM?**

Não. Nessa hora triste brilha a luz da infinita misericórdia de Deus.

- **COMO MANIFESTOU DEUS ESSA MISERICÓRDIA?**

Deus manifestou sua misericórdia e seu amor divino prometendo aos homens um Salvador.

(Is 35,4): *Deus mesmo virá e vos salvará!*

• Quem é o Salvador prometido?

O Salvador prometido aos homens é Nosso Senhor Jesus Cristo que salvaria os homens do pecado.

(Mt 1,21): *Por-lhe-ás o nome de Jesus, porque Ele há de salvar seu povo do seu pecado*.

11ª LIÇÃO – O GRANDE MISTÉRIO DA ENCARNAÇÃO

• Quem é Jesus Cristo?

Jesus Cristo é o Filho de Deus, o Verbo Eterno, feito homem por amor dos homens.

"E o Verbo se fez homem e habitou entre nós" (Jo 1,1 e 17).

I. Jesus Cristo é verdadeiro Deus

1. É Jesus Cristo verdadeiro Deus?

Sim, Jesus Cristo é verdadeiro Deus.

2. Quem nos ensina essa verdade?

A Igreja nos ensina essa verdade desde o começo de seus 2.000 anos de existência.

3. Em que testemunhos se funda essa verdade divina?

Essa verdade divina funda-se:
a. Nas muitas profecias do AT.
b. No testemunho do Pai Celestial (Mt 3,17): "Este é meu Filho muito amado".

c. Nas muitas e evidentes declarações de Jesus, confirmadas com muitos e extraordinários milagres.

d. No testemunho dos apóstolos que, para confirmar essa verdade, sacrificam sua vida.

e. Na longa história da Igreja católica.

f. No testemunho de milhões de mártires.

g. No luminoso testemunho de grandes sábios e santos.

II. JESUS CRISTO É VERDADEIRO HOMEM

1. É JESUS CRISTO VERDADEIRO HOMEM?
Sim, Jesus Cristo é também verdadeiro homem.

2. COMO SE CHAMA ESSE MISTÉRIO: "O FILHO DE DEUS SE FEZ HOMEM"?
Esse grande e profundo mistério se chama o mistério da Encarnação.

3. O QUE NOS ENSINA ESSE MISTÉRIO?
Esse mistério nos ensina que o Filho de Deus tomou um corpo e uma alma semelhantes aos nossos, participou da nossa vida.

"O Verbo – Filho de Deus – fez-se homem e habitou entre nós" (Jo 1,14).

4. QUANTAS NATUREZAS HÁ EM JESUS CRISTO?
Em Jesus Cristo há duas naturezas: a natureza divina e a natureza humana.

12ª LIÇÃO – MARIA SANTÍSSIMA

1. Quem é a Mãe de Jesus Cristo?

A Mãe de Jesus Cristo, Deus feito homem, é a Santíssima Virgem Maria. O anjo do Senhor anunciou a Maria e ela se tornou Mãe de Jesus (cf. Lc 1,31).

2. Como se realizou o grande mistério da Maternidade virginal de Maria?

Esse mistério se realizou por um milagre sublime do Amor divino. "Eis que uma Virgem conceberá e dará à luz um filho" (cf. Is 7,14); (cf. Lc 1,30-35).

3. Que graças e privilégios especiais recebeu Maria Santíssima?

Maria Santíssima, escolhida para ser a Mãe de Jesus, foi preservada do pecado original e recebeu uma maravilhosa plenitude de graças divinas. (Lc 1,28): "Ave, cheia de graça!"

4. Quais são os principais dogmas que exaltam os dons da Santíssima Virgem Maria?

São os seguintes:
– a maternidade divina, como vimos;
– a perpétua Virgindade de Maria;
– a Imaculada Conceição;
– a sua gloriosa Assunção ao céu em corpo e alma.

5. Devemos tributar um culto especial a Nossa Senhora?

Sim, devemos tributar um culto todo especial a Nossa Senhora, porque Ela é a grande Mãe de Deus feito homem. Além disso, devemos amar muito a Nossa Senhora, porque Ela é nossa Mãe Espiritual, Ela nos quer bem e nos quer salvar.

6. POR QUE NOSSA SENHORA É NOSSA MÃE ESPIRITUAL?

Nossa Senhora é nossa Mãe: 1º) porque somos irmãos de Jesus, pela graça; 2º) porque Jesus, na hora divina da redenção, deu-nos sua Mãe para ser nossa Mãe; 3º) por uma solene aclamação dos séculos. (Jo 19,26): *Eis aí a tua Mãe*.

7. POR QUE NOSSA SENHORA É CHAMADA MÃE DA IGREJA?

Maria Santíssima é chamada Mãe da Igreja: 1º) porque Ela é Mãe de Cristo, Cabeça do Corpo místico, do qual os homens são os membros; 2º) porque Maria participou dos mistérios da Encarnação e Redenção dos homens; 3°) porque é medianeira especial das graças divinas.

13ª LIÇÃO – SÃO JOSÉ

1. QUEM É SÃO JOSÉ?

São José é o esposo virginal de Maria Santíssima, o pai adotivo de Jesus e o privilegiado protetor da Sagrada Família.

2. DEVEMOS HONRAR MUITO SÃO JOSÉ?

Sim, São José merece um culto especial por várias razões:
1º) porque Cristo mesmo o honrou como pai adotivo;
2º) por sua eminente santidade;
3º) por ser o virginal esposo da Virgem Maria;
4º) por ser o protetor especial da Igreja Universal.

14ª LIÇÃO – I. VIDA OCULTA DE JESUS

• ONDE NASCEU JESUS?

Jesus nasceu em Belém, cidade da Judeia, conforme tinha sido profetizado por Miqueias.

(Mt 2,5-6): *E tu, Belém, terra de Judá, não és de modo algum a menor entre as cidades de Judá, porque de ti sairá o Chefe que governará Israel, meu povo.*

• QUE CIRCUNSTÂNCIAS MISTERIOSAS E EXTRAORDINÁRIAS ACOMPANHARAM O NASCIMENTO DE JESUS?

Os santos evangelhos salientam os fatos seguintes:

1. Jesus, Deus feito homem, nasceu em uma pobre gruta e foi deitado em um presépio, em uma pobre manjedoura (Lc 2,6-7).

2. Anjos apareceram e anunciaram aos pastores o nascimento do Messias (Lc 2,8-14).

3. Uma estrela misteriosa apareceu aos Reis Magos e os guiou até Belém (Mt 2,1-12).

4. A matança dolorosa dos inocentes profetizada por Jeremias (Mt 2,16-18).

• ALÉM DOS MISTERIOSOS FATOS CITADOS, QUAIS SÃO OUTROS MAIS IMPORTANTES DA VIDA OCULTA DE JESUS?

São:

1. A circuncisão (Lc 2,21).

2. A apresentação de Jesus no Templo de Jerusalém (Lc 2,22-24).

3. A profecia do velho Simeão. Ele recebeu a revelação que não morreria sem ter visto o Messias (Lc 2,25ss.).

4. A fuga da Sagrada Família para o Egito (Mt 2,13ss.).
5. A comovente passagem: Jesus no Templo aos doze anos (Lc 2,41ss.).

- **Qual é o mistério mais comovente da vida de Jesus até os trinta anos?**

O mistério mais comovente é Jesus ter levado, até essa idade, vida oculta, humilde e dedicada à oração, à vida familiar e ao singelo trabalho de carpinteiro, e seu exemplo de obediência.

O Evangelho resume esse período com as breves palavras: "Ele – Jesus – era-lhes submisso", isto é, perfeitamente obediente (Lc 2,50).

15ª LIÇÃO – II. VIDA PÚBLICA DE JESUS

1. O que fez Jesus depois dos 30 anos?

Tendo 30 anos, Jesus quis ser batizado por São João Batista; retirou-se ao deserto para lá rezar e jejuar durante 40 dias; andou pobre na Palestina, pregou a justiça, a paz, o amor, durante três anos, e escolheu os doze apóstolos.

2. O que Jesus ensinou aos homens?

Jesus ensinou, com autoridade e sabedoria divina, todas as verdades que devemos crer e praticar para nos salvar.

3. Onde encontramos a doutrina que Jesus ensinou?

Nos santos Evangelhos.

4. Quais são as duas verdades fundamentais que Jesus nos ensinou?

Essas duas verdades são:
1. que Ele é o Filho de Deus;
2. e que Ele é o Salvador do Mundo, o Messias prometido.

5. Como Jesus provou que Ele era o Filho de Deus e o Messias?

Jesus provou que era o Filho de Deus e o Salvador prometido:
1º) por seus numerosos milagres;
2º) por sua vida santíssima;
3º) por sua doutrina divina;
4º) por sua morte e gloriosa ressurreição.

6. Quais são as outras verdades principais que Jesus ensinou?

Jesus nos revelou e ensinou lindos mistérios e doutrinas divinas: Jesus nos falou sobre Deus Uno e Trino; sobre a vida divina em nós pela graça; sobre a caridade; sobre a oração e sobre a eternidade.

7. Quais são os grandes tesouros divinos que Jesus nos deu?

Entre outros, Jesus nos deu três grandes tesouros divinos:
1. a Igreja;
2. os sacramentos;
3. o santo sacrifício da missa, a comunhão e o misterioso dom de sua presença sacramental.

16ª LIÇÃO – III. PAIXÃO E MORTE DE JESUS

1. Por que motivos quis Jesus sofrer a paixão e morte na cruz?

Jesus quis padecer e morrer:
1. para nos reconciliar com Deus;
2. para merecermos as graças divinas;
3. para nos livrar da morte eterna e abrir-nos as portas do céu.

2. Morreu Jesus por todos os homens?

Sim, Jesus morreu por todos os homens de todos os tempos. Ele é a propiciação pelos nossos pecados e não somente pelos nossos, mas também pelos de todo o mundo (1Jo 2,2).

3. Quais foram os principais sofrimentos de Jesus?

a. Jesus sofreu a longa Agonia no Jardim das Oliveiras;

b. sofreu a dor imensa da traição de Judas, o apóstolo infiel;

c. sofreu a flagelação, a coroação de espinhos, os insultos e injúrias horríveis;

d. sofreu a crucificação, as três longas horas na cruz e finalmente a morte dolorosíssima.

4. Por que nos deve comover profundamente a paixão e morte de Jesus?

São João diz: "**Jesus Cristo nos amou** e nos lavou dos nossos pecados no seu sangue" (Ap 1,5).

17ª LIÇÃO – IV. A RESSURREIÇÃO DE JESUS

1. Depois da morte de Jesus, o que fizeram de seu corpo santíssimo?

Depois da morte de Jesus, discípulos fiéis o desceram da cruz e o colocaram em um sepulcro.

2. Para onde foi a alma de Jesus?

A alma de Jesus desceu à mansão dos mortos, onde estavam as almas dos justos esperando a graça da redenção e a entrada no céu. A mansão dos mortos chama-se também limbo.

3. Quanto tempo ficou Jesus no sepulcro?

Ao terceiro dia, Jesus ressuscitou gloriosamente, como Ele tinha anunciado aos apóstolos.

(Mt 27,62; 28,1-10; Jo 20-27; Mc 16,9-15).

A festa da Páscoa, que celebra solenissimamente a Ressurreição de Jesus, é a maior festa litúrgica do ano.

4. Que nos ensina a festa da Páscoa, celebrada pela Igreja, há mais de dois mil anos?

Essa festa nos deve fortalecer na fé na divindade de Jesus Cristo e no caráter divino e na invencibilidade da Igreja, que – como o Cristo – terá sempre novas Sextas-feiras Santas e novas ressurreições. Ressuscitado, Jesus nos fortifica sempre e está conosco para nos libertar do pecado e nos ajudar a viver uma nova vida.

18ª LIÇÃO – V. A ASCENSÃO DE JESUS AOS CÉUS

1. Que fez Jesus, logo depois da sua gloriosa Ressurreição?

Jesus, em uma especial manifestação de amor para com os seus apóstolos e amigos, demorou-se ainda 40 dias na terra.

2. O que fez pelos apóstolos e por nós, durante esses quarenta dias?

Durante esses quarenta dias, Jesus:

1º) mostrou que estava vivo e confirmou de forma evidente a verdade de sua Ressurreição;

2º) deu novas instruções sobre sua doutrina;

3º) e, como diz a Escritura: "falou-lhes sobre o Reino de Deus", o que quer dizer: deu-lhes instruções sobre a organização da Igreja, que é o Reino de Deus neste mundo (At 1,1-11).

3. O que fez Jesus após os quarenta dias?

Após os quarenta dias, Jesus subiu aos céus.

4. Quais foram as últimas palavras de Jesus aos apóstolos, no momento da Ascensão?

Jesus ordenou-lhes:

a. que se preparassem para a vinda do Espírito Santo;

b. que fizessem dos homens todos seus discípulos, batizando-os em nome do Pai e do Filho e do Espírito Santo.

5. Voltará Jesus outra vez ao mundo?

Sim. Ensina-nos a doutrina da Igreja que Jesus virá outra vez à terra no fim do mundo, para julgar os vivos e os mortos, todos os homens, bons e maus (At 1,11).

19ª LIÇÃO – O ESPÍRITO SANTO

1. Por que subiu Jesus, nosso Redentor, ao céu?
A fé nos diz: Jesus subiu ao céu:
a. para nos preparar um lugar no céu, conforme Ele mesmo o havia prometido;
b. para ser nosso intercessor junto ao Pai;
c. para nos enviar o Espírito Santo (At 1,7-8).

2. Quem é o Espírito Santo?
O Espírito Santo é a terceira pessoa da Santíssima Trindade, pessoa divina que desde toda a eternidade procede do Pai e do Filho. "Glória ao Pai, ao Filho e ao Espírito Santo."

3. Quando enviou Jesus o Espírito Santo que tinha prometido?
Jesus Cristo enviou o Espírito Santo sobre os Apóstolos no dia de Pentecostes.
"E ficaram todos repletos do Espírito Santo" (At 2,4).

4. Que graças concedeu o Espírito Santo aos apóstolos?
O Espírito Santo comunicou aos Apóstolos uma misteriosa e divina plenitude de graças e dons. Encheu-os de luzes, de coragem, de entusiasmo e de forças divinas para fundarem e propagarem a Igreja de Jesus Cristo, enriquecendo-os também com carismas extraordinários.

5. Que graças comunica o Espírito Santo?

O Espírito Santo:

1º) nos ilumina para compreendermos bem as doutrinas do Santo Evangelho;

2º) nos santifica;

3º) nos consola e fortalece espiritualmente (1Cor 3,16):

"Não sabeis que vós sois o templo de Deus e que o Espírito Santo habita em vós?"

20ª LIÇÃO – A SANTA IGREJA

1. Quem fundou a Igreja católica?

Foi Jesus Cristo mesmo que fundou a Igreja.

2. O que é a Igreja?

A Igreja é a grande família dos filhos de Deus. E dessa família, Jesus é o princípio de fé, de vida divina e de amor.

3. Podemos chamar a Igreja de "novo Povo de Deus"?

Sim, porque a Igreja é a sociedade visível dos fiéis que formam esse novo Povo de Deus.

4. Como começou Jesus a fundação da Igreja?

1º) Jesus reuniu discípulos;

2º) escolheu doze apóstolos;

3º) e nomeou Pedro seu representante na terra (Mt 16,18ss.):

"Tu és Pedro e sobre essa pedra edificarei a minha Igreja e as portas do inferno – (poderes infernais) – não prevalecerão contra ela". "Eu te darei as chaves do reino dos céus. Tudo o que ligares na terra será ligado nos céus e tudo o que desligares na terra será desligado nos céus".

21ª LIÇÃO – A IGREJA VERDADEIRA

- **Quantas Igrejas fundou Jesus Cristo?**

Jesus Cristo fundou uma só Igreja para ser a Mãe espiritual e a Mestra universal de todos os homens. (Mt 16,18): *Sobre esta pedra edificarei **a minha Igreja**.*

- **Como podemos saber que a Igreja Católica é a verdadeira?**

Sabemos que a Igreja Católica é a verdadeira, porque só ela possui em plenitude as notas características da Igreja fundada por Jesus e propagada pelos apóstolos.

- **Quais são essas notas características divinamente reveladoras da verdadeira Igreja?**

Essas notas são: A unidade – a santidade – a universalidade e a apostolicidade.

- **Em que consiste a unidade da Igreja?**

Essa maravilhosa unidade da Igreja se manifesta da forma seguinte:

1º) a Igreja sempre e em toda parte professa a mesma fé e doutrina;

2º) administra os mesmos sacramentos;

3º) celebra o mesmo sacrifício divino da missa;

4º) e tem e segue o mesmo chefe e pastor, o Papa, ou o Sumo Pontífice:

(Jo 17,11): *Pai Santo, guarda os que me deste, para que sejam um, assim como nós...*

(Jo 10,16): *Haverá um só rebanho e um só Pastor.*

(Ef 4,5-6): *Não há senão um só Senhor, uma só fé, um só batismo. Há um só Deus e Pai de todos...*

• EM QUE CONSISTE A SANTIDADE DA IGREJA CATÓLICA?

A Igreja é santa:

1º) porque santo é seu divino Fundador – Cristo Jesus;

2º) porque é santa e santificadora a doutrina por ela ensinada;

3º) porque santos e santificadores são seus sacramentos;

4º) porque na Igreja sempre houve santos, cuja santidade Deus manifestou com inúmeros milagres e dons divinos;

5º) porque em todos os tempos houve a santidade heroica dos mártires.

(Ef 5,25...): *Cristo amou a Igreja e por ela se entregou a si mesmo para a santificar.*

• EM QUE CONSISTE A UNIVERSALIDADE OU CATOLICIDADE DA IGREJA?

A Igreja é universal, ou seja, católica, porque foi fundada para todos os homens e todos os povos e raças e para todos os tempos.

(Mc 16,15): *Ide por todo o mundo e pregai o Evangelho a todas as criaturas.*

(Mt 28,19): *Ide, pois, e ensinai a todos os povos.*

• EM QUE CONSISTE A APOSTOLICIDADE DA IGREJA?

A Igreja é apostólica:

1º) porque foi fundada pelos apóstolos em nome de Cristo;

2º) é governada – através dos séculos – pelos sucessores legítimos dos apóstolos;
3º) e ensina, em toda a pureza e perfeição, a doutrina dos apóstolos.

• Por que a Igreja também se chama romana?

A Igreja Católica é chamada também, através dos séculos, Igreja romana por duas razões:
1º) porque São Pedro estabeleceu sua sede em Roma;
2º) porque o chefe supremo da Igreja, o Papa, é também o bispo de Roma.

22ª LIÇÃO – ORGANIZAÇÃO DIVINA DA IGREJA

1. Não é Jesus, o Chefe – o Pastor supremo da Igreja?

Sim, Jesus Cristo é o Chefe, o Pastor supremo invisível da Igreja. Mas o Papa é representante de Jesus e chefe visível da Igreja.

2. Como sabemos que Jesus fez São Pedro chefe e pastor supremo visível da Igreja?

Sabemos essa verdade pelas palavras claras e solenes de Jesus.
(Mt 16,18): *Tu és Pedro (rochedo) e sobre essa pedra edificarei a minha igreja e os poderes infernais nunca a vencerão.* "Eu te darei as chaves do reino dos céus." (Jo 21,16ss.): *Apascenta os meus cordeiros, apascenta as minhas ovelhas.*

3. A quem constituiu também Jesus Cristo pastores da Igreja?

Jesus constituiu também pastores da sua Igreja os apóstolos.

4. Como constituiu os apóstolos também pastores da Igreja?

1º) Instruindo-os durante o tempo de sua pregação.
2º) Com as palavras: "Ide e ensinai todos os povos, batizando-os em nome do Pai e do Filho e do Espírito Santo e ensinai-os a observar todas as coisas que vos tenho mandado" (Mt 28,19ss.).

5. Quem são os sucessores dos apóstolos?

Os sucessores dos apóstolos são os bispos, que governam suas dioceses sob a autoridade do Papa (At 20,20).

23ª LIÇÃO – A GRANDE FAMÍLIA DOS FILHOS DE DEUS

1. Quem forma a grande Família dos Filhos de Deus?

A grande Família dos Filhos de Deus é formada:
1º) pelos santos do céu;
2º) pelas almas do Purgatório;
3º) pelos cristãos na terra.

2. Qual é o laço que une os membros dessa família?

É a graça divina que nos une a Cristo formando, assim, o Corpo Místico de Cristo.

(Rm 12,5): *Ainda que muitos, somos um só corpo em Cristo.*

3. Como se chama esse belo mistério da grande família dos filhos de Deus?

Chama-se "Comunhão dos Santos". E é essa maravilhosa união dos santos entre si pela participação dos bens espirituais. "Creio na comunhão dos santos", reza o povo de Deus.

4. Quais são, portanto, os bens que nos advêm da Comunhão dos santos?

Essa Comunhão dos santos nos traz grandes bens espirituais:

1º) Honramos e invocamos os santos e eles intercedem por nós.

2º) Os fiéis na terra se ajudam muito pelas orações, exemplos e boas obras.

3º) Podemos socorrer as benditas almas do purgatório, que nos alcançam bênçãos e graças.

(2Mc 12,46): *É um pensamento santo e salutar rezar pelos falecidos a fim de que sejam livres de seus pecados.*

5. Quando comemoramos esse mistério da Comunhão dos Santos?

Vivemos esse mistério todos os dias por nossas orações, principalmente no Santo Sacrifício da Missa. Celebramos esse mistério liturgicamente na **Festa de todos os Santos,** no dia 1º de novembro, e no **Dia de Finados,** 2 de novembro.

24ª LIÇÃO – A IGREJA, MESTRA DA VERDADE

1. Por que Jesus Cristo nos deu a Igreja?

Jesus, em sua bondade e sabedoria divinas, deu a Igreja aos homens:

1º) para lhes ensinar sua doutrina divina;

2º) para lhes comunicar as graças sobrenaturais, pelos sacramentos;

3º) para, assim, guiá-los para o céu, enquanto ainda caminham neste mundo.

2. Poderá a Igreja errar quando nos transmite as doutrinas evangélicas?

Não. A Igreja não pode errar porque é infalível quando ensina as verdades da fé e da moral.

3. Como sabemos que a Igreja é infalível?

Sabemos que a Igreja é infalível porque Jesus Cristo o prometeu solenemente. Declarou que o Espírito Santo – o Espírito da verdade – sempre ficaria com ela.

(Jo 14,16ss.): *Eu rogarei ao Pai e Ele vos dará outro Consolador, para que o Espírito da Verdade permaneça eternamente convosco.*

(1Tm 3,15): *A Igreja de Deus vivo é a coluna e o fundamento da verdade.*

4. O Papa – o sumo Pontífice – é também infalível?

Sim, o Papa, por uma assistência especial do Espírito Santo, é infalível quando define solenemente uma verdade de fé e moral, porque ele é o Supremo Pastor da Igreja, Mestra da Verdade.

(Mt 28,20): *Eis que estou convosco todos os dias até o fim dos tempos.*

25ª LIÇÃO – A MORTE E A RESSURREIÇÃO DOS HOMENS

1. Quando termina nossa vida terrestre?

Nossa vida terrestre termina com a morte, que é a separação do corpo e da alma.

(Rm 5,12): *Assim também passou a morte a todos os homens!*

2. Que conhecemos sobre o mistério da morte?

Sabemos que, um dia, morreremos. Mas não sabemos nem o dia, nem a hora.

(Mt 25,13): *Vigiai, pois não conheceis nem o dia, nem a hora.*

3. A separação do corpo e da alma será para sempre?

Não. No fim do mundo Deus ressuscitará os corpos dos mortos.

4. Por que Deus estabelece a ressurreição dos corpos?

Haverá ressurreição dos corpos para que os corpos participem, ou não participem, para sempre da presença e do amor de Deus.

26ª LIÇÃO – JUÍZO FINAL: A ÚLTIMA PÁGINA DA HISTÓRIA DA HUMANIDADE

- **QUANDO SERÁ O FIM DO MUNDO?**

Só Deus conhece o tempo do fim do mundo. Cristo, em sua divina sabedoria, falou do fim do mundo, mas não revelou nem o dia nem a hora.

(Mt 25,13): *Vigiai, pois não conheceis nem o dia nem a hora.*

- **QUE ACONTECERÁ NO FIM DO MUNDO, OU SEJA, NO ÚLTIMO DIA?**

Um dia, este mundo acabará e será completamente transformado. E, no fim do mundo, Jesus voltará para julgar todos os homens, os vivos e os mortos. Será o Juízo Final. (Jo 5,28ss.): *Chega a hora em que todos os que estão nos sepulcros ouvirão a voz do Filho de Deus.*

Jesus mesmo nos fala do Juízo Final da forma mais comovente, no Evangelho de São Mateus, no capítulo 25.

- **COMO ANUNCIA JESUS A SENTENÇA FINAL?**

Jesus dirá aos maus: "Afastai-vos de Mim, malditos, para o fogo eterno!" (Mt 25,41).

E Jesus dirá aos bons: "Vinde, benditos de meu Pai..." (Mt 25,34).

Naquele dia, todos reconhecerão também a infinita sabedoria, justiça e bondade de Deus.

27ª LIÇÃO – JUÍZO PARTICULAR

1. Qual o destino da alma, logo depois da morte?
Logo depois da morte, a alma deve comparecer perante o tribunal de Deus, nosso Criador e nosso Juiz divino. (Hb 9,27): *Foi determinado que os homens morram uma só vez e depois sejam julgados.*

2. Como se chama esse juízo de cada alma?
Chama-se Juízo particular.

3. O que fará a alma nesse Juízo particular?
Nesse Juízo, a alma deverá prestar contas das boas ou más ações praticadas em sua vida terrena.

4. Para onde irá a alma depois do Juízo particular?
A alma irá ou para o céu, ou para o inferno, ou para o purgatório.

28ª LIÇÃO – PURGATÓRIO: UMA CONSOLADORA VERDADE DE NOSSA FÉ

• Quais são as almas que vão para o purgatório?
Vão para o purgatório os que morrem na paz e no amor de Deus, mas ainda não satisfizeram plenamente à justiça divina.

• O QUE É, PORTANTO, O PURGATÓRIO?

O purgatório existe para aqueles que, ao terminar sua peregrinação neste mundo, estão em comunhão com Deus e com os irmãos, mas não estão bastante puros e santos para experimentar toda a grandeza do amor de Deus. Por isso, serão ainda purificados. É uma verdade de fé.

Lemos no Apocalipse (21,27): "Não entrará nela (isto é, na Jerusalém celeste) nada de impuro..."

(2Mc 12,46): *É um pensamento santo e salutar rezar pelos falecidos, para que sejam livres dos seus pecados.*

• QUAIS SÃO OS MAIORES SOFRIMENTOS DAS ALMAS DO PURGATÓRIO?

As almas sofrem profundo arrependimento de terem ofendido a Deus. Seu maior sofrimento é estarem privadas da amorosa contemplação de Deus.

• PODEMOS NÓS AJUDAR E CONSOLAR AS ALMAS DO PURGATÓRIO?

Sim. Pelo consolador mistério da Comunhão dos santos, podemos rezar pelas almas do purgatório, consolando-as e aliviando as suas penas.

Devemos, portanto, praticar com solicitude a obra de misericórdia espiritual que nos manda rezar pelos vivos e falecidos.

• QUANTO TEMPO DURARÁ O PURGATÓRIO?

O purgatório durará até o juízo final.

29ª LIÇÃO – O CÉU: O HINO FELIZ DE NOSSA ESPERANÇA

1. O QUE É O CÉU?

Depois da morte, os que vivem e morrem com Cristo irão experimentar toda a felicidade perfeita e eterna pela posse e contemplação de Deus.

(1Cor 2,9): *Os olhos não viram... nem jamais veio ao conhecimento do homem o que Deus preparou para os que o amam.*

(Ap 21,4): *Deus lhes enxugará todas as lágrimas...*

2. QUAIS SÃO OS QUE VÃO PARA O CÉU?

Irão para o céu imediatamente:
1º) os que morrem na graça de Deus;
2º) estão livres de todo pecado;
3º) e livres de toda pena de pecado.

3. PODEMOS ESPERAR IR PARA O CÉU?

Sim. Podemos e devemos esperar ir para o céu, porque pela graça divina somos herdeiros do céu. Cristo nos alcançou esse direito divino.

4. PODE O CRISTÃO PERDER ESSE DIREITO DIVINO?

Sim, o cristão pode perder esse direito pelo pecado grave que, privando-o da graça santificante, priva-o desse direito sagrado.

5. PODEMOS ALCANÇAR NOVAMENTE O DIREITO AO CÉU?

Sim. Pela confissão que perdoa os pecados e nos alcança a graça santificante.

(Mt 5,12): *Exultai e alegrai-vos, pois a vossa recompensa nos céus é grande...*

"Pai nosso, que estais nos céus... venha a nós o vosso reino!"

30ª LIÇÃO – INFERNO: A MAIS MISTERIOSA MANIFESTAÇÃO DA JUSTIÇA DIVINA

1. QUE É INFERNO?

O inferno é o castigo e o sofrimento para aqueles que, culpavelmente recusando todos os dons da salvação, afastaram de si o amor e a misericórdia de Deus, e, assim, morreram em pecado mortal.

2. COMO SABEMOS DA EXISTÊNCIA DO INFERNO?

1º) Jesus, que veio ao mundo para nos salvar, fala-nos várias vezes, de forma impressionante, do inferno.

(Lc 16,19ss.): *Parábola do pobre Lázaro*.

(Mt 22,13) e especialmente (Mt 25,31-46; Mc 9,42ss.).

3. POR QUE JESUS NOS FALOU DO INFERNO?

Jesus nos falou do inferno para nos livrar dessa horrível desgraça.

Jesus nos amou, morreu por nós na cruz e nos quer salvar. Vida com Deus – morte com Deus!

4. É DESGRAÇA GRANDE SER CONDENADO AO INFERNO?

É a maior desgraça! Pois os condenados nunca poderão contemplar Deus e ficarão eternamente afastados dele.

5. Leiamos, comovidos, a passagem mais comovente do Santo Evangelho:

Mt 25. Jamais saíram dos lábios divinos palavras tão comoventes e terríveis! São palavras que saíram dos lábios de Jesus, palavras que sempre abalaram os santos e converteram milhões de pecadores, palavras pronunciadas pela misericórdia divina que nos quer salvar.

II PARTE
Os Mandamentos da Lei Divina

31ª LIÇÃO – AMOR – O MAIOR MANDAMENTO

- **Como conhecemos que o amor é o maior mandamento divino?**

Jesus mesmo, de forma solene, diz a nós: "Amarás ao Senhor teu Deus de todo o teu coração, de toda a tua vontade, com todo o teu entendimento e com todas as tuas forças. Esse é o maior e o primeiro mandamento. E o segundo mandamento, de amor, é semelhante a esse: "Amarás a teu próximo como a ti mesmo!" (Mt 22,37-39).

Amor a Deus

- **O que há de comovente nesse divino mandamento de amor?**

É comovente saber como Deus, o grande e eterno Deus, tanto deseja nosso amor – o amor das suas criaturas.

- **O que é amar a Deus?**
E como podemos cumprir esse mandamento?

1º) Amar a Deus com todo o nosso entendimento quer dizer: o conhecimento de Deus, das verdades divinas e das leis divinas é a ciência mais necessária e mais importante.

2º) Amar a Deus de todo o teu coração e de toda a tua alma quer dizer: amar a Deus mais que todos os bens deste mundo.

3º) Amar a Deus com todas as forças quer dizer: preferir antes morrer a ofender gravemente a Deus, porque Ele é o sumo Bem e nosso Criador e Benfeitor.

(Rm 8,38-39): *Nem a morte, nem a vida, nem os anjos, nem os principados, nem outra criatura nos poderá separar do amor de Deus, que está em Cristo Jesus, Nosso Senhor.* Assim fala Paulo, o divino apaixonado de Cristo.

(1Jo 4,19): *Amemos a Deus, porque Deus nos amou primeiro.*

4º) Provamos existencialmente esse amor a Deus observando filialmente seus mandamentos.

(Jo 14,21): *Quem tem os mandamentos e os observa, esse é o que me ama.*

5º) E recordamos a misteriosa resposta do amor divino: *E quem me ama será amado por meu Pai e Eu o amarei e hei de me manifestar a Ele* (Jo 14,21b).

- **QUAL É O MOTIVO MAIS IMPERIOSO E MAIS COMOVENTE QUE NOS DEVE IMPELIR A AMAR A DEUS?**

Esse misterioso motivo está nas palavras do evangelista São João, "o discípulo que Jesus amava": "Deus amou tanto os homens (o mundo) que entregou seu Filho Unigênito, para que todo o que crê nele não pereça, mas tenha a vida eterna" (Jo 3,16).

Amor ao próximo

Façamos a pergunta importante e decisiva para a comunidade humana:

• Quem é o nosso próximo?

Ouçamos a severa resposta da fé cristã: O nosso próximo são todos os homens. Sim, todos, de qualquer classe, raça ou nação, quer sejam amigos ou inimigos.

• E como devemos amar ao nosso próximo?

A resposta evangélica é divinamente exigente: devemos amar ao nosso próximo como a nós mesmos. Devemos procurar realizar a Comunidade de amor com todas as pessoas. (Mt 22,39): *Amarás a teu próximo como a ti mesmo*.

• Quais são as razões evangélicas que nos obrigam e que nos devem animar a amar ao nosso próximo?

1º) Amar ao próximo é ordem expressa de Jesus, que chama o amor ao próximo "o seu preceito" especial. (Jo 15,12): *Esse é o meu preceito: que vos ameis uns aos outros como eu vos amei!*

2º) Por que todos os homens têm o mesmo Pai celeste: "Pai nosso, que estais nos céus".

3º) Por que todos os homens são irmãos em Cristo e remidos com o sangue de Cristo e têm o mesmo destino eterno, o céu.

• Como podemos e devemos mostrar, na realidade, nosso amor ao próximo?

Mostramos que amamos realmente ao próximo praticando as obras de misericórdia para ajudá-lo em suas necessidades corporais e espirituais. "Quem pretende amar a Deus e não ama ao outro é mentiroso."

(1Jo 3,18): *Não amemos só com palavras... mas com obras e em realidade*.

As obras de misericórdia

I. OBRAS DE MISERICÓRDIA CORPORAIS
1. Dar de comer a quem tem fome.
2. Dar de beber a quem tem sede.
3. Vestir os nus.
4. Dar pousada aos peregrinos.
5. Visitar os enfermos e os encarcerados.
6. Remir os cativos.
7. Enterrar os mortos.

II. OBRAS DE MISERICÓRDIA ESPIRITUAIS
1. Dar bom conselho.
2. Ensinar os ignorantes.
3. Corrigir os que erram.
4. Consolar os tristes.
5. Perdoar as injúrias.
6. Sofrer com paciência as fraquezas (defeitos) do próximo.
7. Rogar a Deus pelos vivos e defuntos.

- **COM QUE PALAVRAS CRISTO SANCIONOU ESSE PRECEITO DE CARIDADE?**

Jesus sancionou devidamente esse preceito com as misteriosas e solenes palavras seguintes: "Em verdade, Eu vos declaro: todas as vezes que fizestes isto a um destes meus irmãos mais pequeninos, foi a mim que o fizestes" (Mt 25,40).

- **QUAL É O MAIS CARACTERÍSTICO PRECEITO DE JESUS, QUANTO AO AMOR DO PRÓXIMO?**

O mais característico, e talvez o mais difícil e mais divino preceito de Jesus quanto à caridade, é o preceito de amar aos nossos inimigos.

(Mt 5,44-45): *Amai a vossos inimigos, fazei bem aos que vos têm ódio e orai pelos que vos perseguem e caluniam.*

• **COMO CONFIRMA JESUS ESSE PRECEITO?**
1º) Aduzindo o exemplo do Pai do céu, que faz nascer o sol sobre bons e maus (Mt 5,45).
2º) Com seu divino exemplo na Última Ceia.
3º) Com sua oração na cruz rezando por seus algozes, perdoando-os e defendendo-os junto ao Pai. "Pai! perdoai-lhes... não sabem o que fazem!" (Lc 23,34).

32ª LIÇÃO – OS MANDAMENTOS DA LEI DE DEUS

• **ONDE ESTÃO EXPLICADOS MAIS DETALHADAMENTE OS MANDAMENTOS DO AMOR A DEUS E AO PRÓXIMO?**
Esses dois mandamentos estão mais amplamente explicados nos Dez Mandamentos da Lei de Deus.

• **QUE SÃO OS DEZ MANDAMENTOS DE DEUS?**
Os dez mandamentos de Deus são as dez grandes ordens divinas, que são, ao mesmo tempo, os dez grandes conselhos divinos. São dez grandes diretrizes básicas que Deus, em sua sabedoria e bondade, deu aos homens para fazê-los bons e felizes na terra e para guiá-los na peregrinação para a eternidade feliz no céu.

(Mt 19,17): *Se quiseres entrar na vida eterna, observa os mandamentos.*

• Os dez mandamentos – as grandes ordens divinas – não tolhem nossa liberdade?

Não. Ninguém respeita mais nossa liberdade do que Deus, que nos criou livres. Os mandamentos são faróis e roteiros luminosos que auxiliam nossa vontade a seguir o caminho da verdade e do bem. E somente seguindo os mandamentos, os indivíduos e a sociedade encontram a felicidade.

• Quais são os dez mandamentos da Lei de Deus?

São os seguintes:
1º) Amar a Deus sobre todas as coisas.
2º) Não tomar seu santo nome em vão.
3º) Guardar os domingos e festas de preceito.
4º) Honrar pai e mãe.
5º) Não matar.
6º) Não pecar contra a castidade.
7º) Não furtar.
8º) Não levantar falso testemunho.
9º) Não desejar a mulher do próximo.
10º) Não cobiçar as coisas alheias.
(Êxodo, capítulo 20).

33ª LIÇÃO – O PRIMEIRO MANDAMENTO DA LEI DE DEUS

Amar a Deus sobre todas as coisas (Êx 20,2ss.): *Eu sou o Senhor, teu Deus. Não terás deuses estranhos*.

(Mt 4,10): *Adorarás ao Senhor teu Deus e a Ele só servirás*.

1. O que ordena Deus no primeiro mandamento?

No primeiro mandamento, Deus ordena:

1º) Que adoremos só a Ele, que é nosso Criador e Supremo Senhor. Adoração, no sentido exato da palavra, é exatamente isso: reconhecer a Deus como supremo Senhor e Criador.

2º) O primeiro mandamento ordena igualmente que amemos a Ele sobre todas as coisas, pois Ele é nosso Supremo Benfeitor.

2. Como podemos cumprir esses deveres sagrados do 1º mandamento?

Cumprimos esses deveres, esforçando-nos em praticar as virtudes sobrenaturais da fé, da esperança, da caridade e a virtude moral da religião.

(Ap 4,8): *Santo, santo, santo é o Senhor Deus! O Dominador, o que é, o que era e o que deve voltar.*

(Ap 4,11): *Tu és digno, Senhor, nosso Deus, de receber a honra, a glória e a majestade, porque criaste todas as coisas.*

3. Qual a importância dos mandamentos para os homens?

Os mandamentos são o único código de leis, verdadeiramente eficaz, para guiar a humanidade no caminho da paz e felicidade. Se os homens observassem os mandamentos, teríamos um mundo sem injustiças, sem crimes, sem ambições, sem desequilíbrios sociais e políticos.

34ª LIÇÃO – A VIRTUDE DA FÉ

• **O QUE É A VIRTUDE SOBRENATURAL DA FÉ?**

A fé é uma virtude pela qual nós cremos, isto é, aceitamos as verdades reveladas por Deus e que a Igreja nos ensina.

Essas verdades estão contidas na Sagrada Escritura e na Tradição.

• **PODEMOS TER SEGURANÇA DE QUE A IGREJA NOS ENSINA A VERDADEIRA FÉ?**

Sim. Porque Jesus mesmo nos garante essa verdade tão necessária para os homens, afirmando solenemente: "Tu és Pedro e sobre essa pedra edificarei a minha Igreja e os poderes infernais não prevalecerão contra ela. Eu te darei as chaves do Reino dos Céus e tudo o que ligares sobre a terra será ligado nos céus e tudo o que desligares na terra será desligado nos céus" (Mt 16,18-19).

"E eis que eu estou convosco todos os dias, até a consumação dos séculos" (Mt 28,30).

• **PODEMOS PERDER A FÉ?**

Sim, podemos perder a fé, esse dom divino, pecando contra essa virtude.

Os principais pecados contra a fé são:

1. negar as verdades reveladas;
2. duvidar conscientemente das verdades reveladas;
3. negar ou ocultar nossa fé por respeito humano. "Aquele, porém, que me negar diante dos homens, também Eu o negarei diante de meu Pai que está nos céus" (Mt 10,32-33).

• O QUE PODEMOS E DEVEMOS FAZER PARA ALIMENTAR E ENRIQUECER A NOSSA FÉ?

Podemos e devemos alimentar nossa fé:

1. pela oração e pelas práticas religiosas;

2. ouvindo a palavra divina e procurando ler, estudar, livros religiosos;

3. professando por palavras e por ações nossa fé e nossas convicções religiosas cristãs.

(Rm 1,17): *O justo vive da fé.*

35ª LIÇÃO – A VIRTUDE DA ESPERANÇA

• EM QUE CONSISTE A VIRTUDE DA ESPERANÇA?

Pela virtude da esperança, nós, confiando na misericórdia divina e nos infinitos merecimentos de Cristo, esperamos obter todas as graças necessárias para alcançarmos a salvação eterna, o céu.

• QUAIS SÃO OS BENS QUE NÓS DEVEMOS ESPERAR DE DEUS?

Podemos e devemos esperar:

1. as graças necessárias para nossa eterna salvação;

2. o perdão de nossos pecados por maiores que sejam; (Lc 23,43): Jesus disse ao bom ladrão arrependido: "Em verdade, eu te digo: hoje estarás comigo no paraíso";

3. podemos também esperar bens temporais tanto quanto eles contribuem para nossa salvação eterna.

- **QUAIS SÃO OS PECADOS CONTRA A VIRTUDE DA ESPERANÇA?**

Peca-se contra a virtude da esperança:
1. desconfiando da bondade e da misericórdia infinita de Deus;
2. abusando da misericórdia divina para pecar;
3. e – talvez o pecado mais grave e fatal – desesperando da eterna salvação, Cristo morreu para nos salvar. O infeliz Judas, desesperando do perdão, enforcou-se.

A virtude da caridade

Observação: Ao tratarmos do maior mandamento, já falamos dessa virtude sobrenatural. Veja as páginas 49 e 50.

36ª LIÇÃO – A VIRTUDE DA RELIGIÃO

- **O QUE NOS PRESCREVE A VIRTUDE DA RELIGIÃO?**

A virtude da religião consiste em rendermos a Deus, nosso Criador e Supremo Senhor, o culto que lhe é devido.

A virtude da religião é a maior das virtudes morais. Pela oração e pelo culto, ela nos aproxima mais de Deus do que as outras virtudes morais.

Observação: A palavra religião pode significar também o conjunto de ritos e preceitos que regulam o culto prestado a Deus.

- **COMO PODE SER O CULTO?**

O culto pode ser externo e interno. O culto interno abrange os atos religiosos, como a oração, feitos interiormente. O culto externo inclui os atos religiosos feitos também exteriormente. O culto externo público é o culto estabelecido oficialmente pela Igreja. O mais perfeito culto público é, no Novo Testamento, o Santo Sacrifício da Missa.

- **Quais são os principais exercícios da virtude da religião?**

São: o sacrifício, a oração, os votos e o juramento. Sobre esses assuntos, falaremos mais detalhadamente a seu tempo.

- **Quais são os pecados contra a virtude da religião?**

Os principais pecados contra a virtude da religião são:

1. a idolatria, que consiste em atribuir a qualquer criatura um culto divino;

2. o sacrilégio, que consiste em profanar coisas sagradas e objetos do culto. É também sacrilégio receber indignamente os sacramentos. Nas perseguições religiosas, antigas e modernas, realizaram-se e se realizam as mais dolorosas profanações. Em muitos casos se constata com clareza o ódio satânico;

3. o desprezo e abandono da oração e dos deveres religiosos crescem em nossos dias tremendamente com a laicização da vida moderna, que exclui Deus das leis, do ensino e da educação. E o fruto desses pecados é a terrível confusão atual.

- **Quais os outros pecados contra a virtude da religião?**

São:

1. a superstição, que inclui a adivinhação, a cartomancia, a magia e o número sempre crescente de terreiros, umbandas e semelhantes;

2. o espiritismo, que não é religião e é anticristão. É uma heresia;

3. a profanação da casa de Deus, que é um mal doloroso dos tempos atuais.

(Mt 21,22): Expulsão dos profanadores do templo. "Minha casa é a casa de oração, mas vós a converteis num covil de ladrões!"

37ª LIÇÃO – O SEGUNDO MANDAMENTO

• O QUE NOS ORDENA O SEGUNDO MANDAMENTO?

O segundo mandamento nos ordena:

1. que respeitemos sempre o santo nome de Deus, nome que nos lembra de nosso Criador e Supremo Senhor;

2. que respeitemos também os nomes de Jesus, de Nossa Senhora e dos santos;

3. que cumpramos com fidelidade religiosa os votos e os juramentos. "Santificado seja o vosso nome assim na terra como no céu!"

(Sl 112): *Louvai, ó servos do Senhor, louvai o nome do Senhor. O nome do Senhor seja bendito desde agora e para sempre.*

(Lc 1): *Ave, ó cheia de graça, bendita sois vós...*

• O QUE NOS PROÍBE O SEGUNDO MANDAMENTO?

O segundo mandamento nos proíbe:

1. pronunciar sem respeito o santo nome de Deus;

2. jurar falso e jurar sem necessidade;

3. não cumprir votos ou promessas e juramentos;

(Ec 5,3): *Se fizeste algum voto a Deus, trata de o cumprir logo.*

4. Rogar pragas, isto é, proferir maldições contra si ou contra outros.

(Ec 3,11): *A bênção do pai fortalece as casas dos filhos; a maldição – pragas – as destrói pelos alicerces.*

• O QUE PROÍBE DE MODO ESPECIAL O SEGUNDO MANDAMENTO?

O segundo mandamento proíbe de modo muito especial – por ser uma ofensa gravíssima a Deus – o pecado da blasfêmia. (Lv 24,26): *Quem blasfemar o nome de Deus deve morrer.*

38ª LIÇÃO – GUARDAR OS DOMINGOS E AS FESTAS RELIGIOSAS DE PRECEITO

• O QUE NOS ORDENA DEUS NO TERCEIRO MANDAMENTO?

No terceiro mandamento, Deus nos ordena:

1. santificar o domingo, que é o dia consagrado ao Senhor;

2. santificar as festas religiosas de preceito;

(Gn 2,2.3): *No sétimo dia, Deus descansou... e abençoou o sétimo dia*, são belas expressões que nos são dadas para a nossa orientação religiosa.

• COMO DEVEMOS SANTIFICAR O DOMINGO E TORNÁ-LO UM DIA ABENÇOADO PARA NÓS?

1. Participando com fé e devoção do Santo Sacrifício da Missa, que é o culto mais sublime e sagrado do Novo Testamento.

2. Ouvindo com atenção e sincero interesse a palavra de Deus, porque "quem é de Deus, ouve a palavra de Deus" (Jo 8,47).

• Não tem esse preceito também importância para o indivíduo e para a sociedade?

Sim. Esse preceito conserva os indivíduos, as famílias e a sociedade orientados para Deus.

Além disso, é de suma importância para o bem-estar físico e psíquico dos homens. Lembremos a bela sentença: "Domingo com Deus, vida com Deus e morte com Deus".

• Que mais devemos fazer para santificar os domingos e dias santos?

Devemos, por séria obrigação, evitar os trabalhos assim chamados servis a não ser que sejam necessários. Devemos, além disso, à medida de nossas possibilidades, praticar obras de caridade.

Boas obras que poderemos praticar: receber os santos sacramentos; participar dos atos religiosos, de reuniões de associações ou de movimentos; visitar doentes, ou pobres abandonados, ou velhos desamparados, como fazem os bons vicentinos; organizar e acompanhar excursões sadias para a juventude.

E também uma nobre ocupação para os domingos ler livros bons, em particular ou em família.

• Uma pergunta muito atual: por que a Igreja insiste no preceito dominical e no conselho de praticar boas obras?

Porque isso:

1º) mantém o indivíduo e a sociedade mais voltados para Deus;

2º) atrai de modo especial as bênçãos divinas, a paz e a alegria para as famílias e para a sociedade. Um dos grandes males modernos é justamente desconhecer a verdade divina do sentido da vida atual em sua relação para a eternidade;

3º) recordemos, além disso, que a vida moderna superagitada, a vida industrial superexigente e, muitas vezes, a ganância, estão gerando problemas psíquicos muito sérios para a humanidade.

- **Qual o sentido das leis da Igreja que prescrevem jejum, abstinência e outros sacrifícios?**

A Igreja nos lembra, com esses preceitos, do dever e das vantagens de fazermos sacrifícios para dar mais vigor ao espírito na luta pelo bem moral e religioso.

39ª LIÇÃO – O QUARTO MANDAMENTO E A FAMÍLIA

- **O que prescreve o quarto mandamento?**

1. O quarto mandamento prescreve os deveres sagrados dos filhos para com os pais e os deveres básicos dos pais para com os filhos.

2. O quarto mandamento prescreve também as leis fundamentais que devem reger a sociedade – que é a família ampliada – em suas diversas manifestações da vida familiar, social e política. Pois todo o poder vem de Deus. (Rm 13,1): *Todo o homem seja submisso às autoridades superiores, porque não há autoridade que não venha de Deus.*

- **POR QUE DEVEM OS FILHOS AMAR, OBEDECER E HONRAR OS PAIS?**

Os filhos devem amar, obedecer e honrar os pais por duas grandes razões:

1. porque os pais são seus maiores benfeitores, pois lhes transmitem o dom inefável da existência;

2. porque os pais são no lar os representantes de Deus Criador e supremo Senhor. (Dt 5,16): *Honra teu pai e tua mãe como te mandou o Senhor, teu Deus...*;

(Cl 3,20): *Filhos, obedecei em tudo a vossos pais, porque isso é agradável ao Senhor.*

3. Além disso, devem os filhos lembrar-se de que o quarto mandamento traz felicidade e bênçãos especiais já neste mundo.

(Dt 5,16): *Honra teu pai e tua mãe, como te mandou o Senhor teu Deus, para viveres largo tempo e para seres bem-sucedido...*

(Ef 6,1-3): *Filhos, obedecei aos vossos pais, no Senhor, pois isso é justo. Honra teu pai e tua mãe – é o primeiro mandamento com promessa – para seres feliz e teres uma longa vida sobre a terra.*

40ª LIÇÃO – QUARTO MANDAMENTO E AS OBRIGAÇÕES DOS FILHOS PARA COM OS PAIS E DOS IRMÃOS ENTRE SI

- **Como pecam os filhos contra esse mandamento?**

Os filhos pecam contra esse mandamento:

1. quando desobedecem aos pais ou obedecem de má vontade;

2. quando não aceitam ou rejeitam seus bons conselhos e os tratam mal;

3. quando são ingratos e não rezam por eles e não os auxiliam em suas necessidades, doenças e em sua velhice. (Eclo 3,14): *Meu filho, ampara a velhice de teu pai... (3,16): Como é infame aquele que abandona seu pai... e como é amaldiçoado aquele que irrita sua mãe*;

4. quando se envergonham deles, desprezam-nos ou falam mal deles;

5. quando não toleram com paciência os seus defeitos.

- **QUE NOS PRESCREVE TAMBÉM O QUARTO MANDAMENTO?**

O quarto mandamento prescreve ainda:

1. que os irmãos se amem, respeitem-se e se ajudem, pois Deus mesmo os uniu com os laços sagrados da mesma família;

2. que todos, pais e filhos, se esforcem para fazer da família um lar sagrado e abençoado.

Em forma mais perfeita, vale para eles essa palavra de São João (Jo 4,20): *Se alguém disser: "Amo a Deus", mas odeio meu irmão, é mentiroso... o que amar a Deus, ame também a seu irmão.*

41ª LIÇÃO – O QUARTO MANDAMENTO, A SOCIEDADE E AS QUESTÕES SOCIAIS EM SUAS BASES DIVINAS

- **QUAL É A BASE NECESSÁRIA PARA A SOCIEDADE SER FELIZ?**

A única base firme e estável para a sociedade humana ser feliz é o Evangelho. Somente o Evangelho tem força divina para estabelecer a verdadeira e eficaz obediência dos cidadãos e a necessária honestidade da autoridade.

A sociedade foi criada por Deus e só atinge suas metas obedecendo às leis dadas pelo Criador. (Pr 8,15-16): *Por mim reinam os reis...*

• QUAIS SÃO AS OBRIGAÇÕES DOS CIDADÃOS PARA COM A AUTORIDADE?

Os cidadãos devem respeitar a autoridade dos governantes e prestar-lhes a devida obediência, porque sua autoridade vem de Deus.

Pela eleição, o povo escolhe os investidos de autoridade, mas a autoridade lhes vem de Deus. (Hb 13,17): *Sede submissos e obedecei aos que vos guiam.*

(Rm 13,1): *Todo homem seja sujeito às autoridades superiores porque não há autoridade que não venha de Deus e as que existem foram instituídas por Deus.*

• QUAIS SÃO OS PECADOS CONTRA A AUTORIDADE LEGÍTIMA?

São:
1. fazer-lhe críticas injustas e malévolas;
2. abusar da imprensa livre para subverter sua autoridade;
3. organizar e fornecer greves injustas.

• QUAIS SÃO AS OBRIGAÇÕES DOS QUE SÃO INVESTIDOS DE AUTORIDADE?

1. Procurar governar com justiça e integridade, com sabedoria e prudência.

2. Evitar toda ambição, toda venalidade e todo favoritismo injusto, conscientizando-se de sua imensa responsabilidade perante Deus.

3. Ser consciencioso na administração, no uso e no emprego dos bens e valores públicos.

• Quais são as obrigações dos patrões?

São as seguintes:

1. tratar funcionários e empregados com justiça e com respeito para com sua dignidade;

2. pagar-lhes o salário justo e equitativo, conveniente à sua situação, como seja o salário familiar;

3. dar-lhes tempo e oportunidade para cumprirem seus deveres familiares e religiosos;

(Cl 4,1): *Senhores, dai aos servos o que é justo e equitativo, considerando que também vós tendes um Senhor no céu.*

4. Haverá situações em que os cidadãos podem desobedecer às leis do governo? Sim. Se as leis forem contrárias às leis divinas, os cidadãos podem c devem desobedecer às humanas (At 5,29): *Importa obedecer antes a Deus do que aos homens*, disseram os apóstolos.

• Poderão as complexas questões sociais atuais achar soluções satisfatórias nos Evangelhos?

Sim. O Evangelho e só o Evangelho pode dar solução adequada às complexas questões sociais. Pois foi Deus quem criou o homem e, sem o Criador, a criatura não resolverá bem seus problemas familiares, políticos e sociais.

42ª LIÇÃO – QUINTO MANDAMENTO: NÃO MATAR, O DIVINO MANDAMENTO DO RESPEITO SAGRADO À VIDA

- **QUE NOS PRESCREVE O QUINTO MANDAMENTO DA LEI DE DEUS?**

O quinto mandamento "não matar" (Êx 20,13) nos prescreve respeitar:

1º) a vida – que é o maior bem natural;
2º) os bens corporais – saúde e integridade física;
3º) os bens morais e espirituais do próximo.

- **QUE PROÍBE O QUINTO MANDAMENTO EM RELAÇÃO AO PRÓXIMO?**

Proíbe:

1º) matar o próximo ou feri-lo;
2º) prejudicá-lo abreviando-lhe a vida por maus tratos ou causando-lhe aflições e desgostos graves;
3º) proíbe também o ódio, as vinganças e iras graves.

- **QUE DEVEMOS DIZER DO ABORTO (INFANTICÍDIO)?**

O aborto voluntário e provocado diretamente é um pecado gravíssimo contra o quinto mandamento, porque torna os pais (que são a fonte sagrada da vida) infelizes assassinos dos próprios filhos. Os que realizam a operação também são réus de assassínio, perante Deus.

(Gn 4,10): "E o Senhor Deus lhe (a Caim) disse: Que fizeste? A voz do sangue de teu irmão clama da terra até mim. Agora, pois, serás maldito sobre a terra..."

Os povos, as nações e as instituições, que aprovam o aborto, levantam suas mãos contra o Criador e Senhor da vida e são réus da maldição divina.

• O QUE PROÍBE O QUINTO MANDAMENTO EM RELAÇÃO A NÓS MESMOS?

1º) O quinto mandamento proíbe o suicídio.

2º) Proíbe também o que abrevia indevidamente a vida, como o ódio e outras paixões violentas, a embriaguez e outros vícios, como os tóxicos, as drogas.

• É PECADO DESEJAR A MORTE?

Desejar a morte, por desespero ou desordenadamente, é pecado. Mas desejar a morte, com resignação à vontade de Deus, para se livrar deste mundo que tantas vezes está marcado pelos sinais de maldade, não é pecado.

• PROÍBE TAMBÉM O QUINTO MANDAMENTO PREJUDICAR A VIDA ESPIRITUAL DO PRÓXIMO?

Sim, o quinto mandamento proíbe também prejudicar a vida espiritual do próximo pelo escândalo. Escândalo é qualquer ação, palavra e mau exemplo, que induza o próximo ao pecado. (Mt 18,6-7): Nesta passagem, Jesus condena com santa indignação o escândalo dado aos pequeninos: "Ai do mundo por causa dos escândalos!"

• POR QUE O ESCÂNDALO GRAVE É PECADO TÃO GRANDE?

Porque contribui para destruir a vida dos irmãos, pelos quais Jesus morreu na cruz.

43ª LIÇÃO – SEXTO E NONO MANDAMENTOS, OS GUARDAS DIVINOS DAS FONTES DO AMOR E DA VIDA: "NÃO PECAR CONTRA A CASTIDADE", "NÃO DESEJAR A MULHER DO PRÓXIMO"

- **O QUE NOS MANDAM O SEXTO E O NONO MANDAMENTOS?**

O sexto e o nono mandamentos nos mandam:

1º) pensar e falar sempre com respeito sobre os assuntos sagrados que se referem ao sexo, fonte da vida humana;

2º) guardar a pureza e castidade em nossas ações e atitudes.

- **QUAL É O PLANO DIVINO DANDO-NOS O SEXTO E NONO MANDAMENTOS?**

Dando-nos esses dois importantes mandamentos, Deus, o Criador, quer defender em nós a castidade, ou seja, guardar pura e santa a fonte da vida que é o amor, o sexo.

- **O QUE, PORTANTO, NOS PROÍBEM O SEXTO E O NONO MANDAMENTOS?**

O sexto e o nono mandamentos nos proíbem:

1º) todos os pensamentos e desejos desonestos consentidos;

2º) as conversas, leituras, espetáculos e programas obscenos;

3º) as ações desonestas praticadas sozinho ou com outros. (Ef 5,3): *A luxúria e toda impureza... nem sequer se nomeiem entre vós como convém a santos* (Mt 5,8).

- **Quais são as coisas que mais levam à impureza e aos pecados contra a castidade?**

São:

1º) as más leituras, ou seja, a leitura de livros e romances pornográficos e obscenos;

2º) os teatros e programas imorais, que tanto mal têm causado, certos filmes de cinema e certos programas de TV;

3º) os tóxicos, o abuso do álcool e os entorpecentes;

4º) as más companhias, que desorientam e arrastam para a libertinagem.

- **Quais são as grandes razões que nos devem animar a guardar fielmente o sexto mandamento e o nono?**

São, entre outras, as razões seguintes:

1º) A pureza confere à pessoa uma dignidade e uma nobreza espiritual muito especial. Diz a Sagrada Escritura no livro da Sabedoria (Sb 4,1): "Oh como é bela a geração no brilho da **castidade!**"

2º) Porque a luxúria – vício contrário à pureza e à castidade – muitas vezes arruína a saúde e o caráter;

3º) porque destrói tantos lares.

- **Quais são os meios recomendados para guardar e aperfeiçoar a castidade?**

São:

1º) uma formação clara e nobre sobre o sagrado sentido do amor e do sexo;

2º) a oração fiel e perseverante. A devoção à Paixão de Jesus e a Nossa Senhora, a Virgem **puríssima;**

3º) a frequência dos sacramentos. A eucaristia e a confissão, com a direção espiritual, ajudam-nos a evitar tudo o que nos proíbem o sexto e o nono mandamentos e os perigos acima enumerados.

44ª LIÇÃO – O SÉTIMO E O DÉCIMO MANDAMENTOS, PROTETORES DO RESPEITO AOS BENS ALHEIOS: "NÃO FURTAR", "NÃO COBIÇAR AS COISAS ALHEIAS"

• **O QUE NOS PRESCREVEM O SÉTIMO E O DÉCIMO MANDAMENTOS?**

O sétimo mandamento nos prescreve o dever de respeitar conscientemente os bens alheios. O nono mandamento nos prescreve não desejar privar o próximo de seus bens (Êx 20,5).

• **QUAL É A RAZÃO DESSE PRECEITO DIVINO?**

Deus, o Senhor absoluto de todas as coisas, reparte os bens de diversas formas, para que haja justa tranquilidade no uso desses bens e para que haja também justiça e caridade na família humana.

• **SÃO OS HOMENS PROPRIETÁRIOS DE SEUS BENS?**

Sim. Os homens são proprietários dos seus bens legitimamente adquiridos. Assim é a vontade de Deus. Essa verdade, porém, inclui outra: os homens não são proprietários absolutos dos bens que possuem, mas são como administradores deles.

• **COMO PODEMOS PROVAR ESSA VERDADE TÃO FUNDAMENTAL PARA A SOCIEDADE?**

Essa verdade se funda em duas grandes razões:
1º) Quando o homem morre, nada leva de seus bens.

2º) A outra razão, que é mais impressionante e é expressamente ensinada pelo Evangelho, é a seguinte: os homens, depois da morte, devem prestar contas ao Criador do uso que fizeram dos bens que possuíram na terra. (Lc 16,19-31): A parábola do pobre Lázaro e do rico, amigo dos banquetes. (Lc 12,15-21): O rico é chamado a prestar contas: "Deus lhe disse: Néscio, esta noite ainda exigirão de ti a tua alma. E as coisas que ajuntaste, de quem serão?..."Leiamos também a bela passagem: 1Tm 17-19.

• O QUE PROÍBE O SÉTIMO MANDAMENTO?

O sétimo mandamento proíbe:

1º) Tirar, furtar ou roubar os bens alheios, bem como reter injustamente bens que pertencem a outros.

2º) Causar dano ao próximo em seus bens, de qualquer forma.

3º) Não pagar dívidas; enganar o próximo nos negócios, por medidas ou pesos falsos; vendendo por preços excessivos; falsificando documentos e semelhantes fraudes.

4º) Proíbe também a usura, que consiste em explorar o próximo exigindo juros exagerados.

5º) Como se trata de um assunto muito complexo, não podemos ser completos neste breve resumo. Acrescentamos, porém, os pontos seguintes: peca-se também aconselhando e auxiliando a prejudicar o próximo; aceitando ou negociando bens furtados; colaborando conscientemente em negócios injustos etc.

• QUE DEVEM FAZER OS QUE CAUSARAM PREJUÍZO AO PRÓXIMO?

Os que causaram prejuízo ao próximo devem, na medida do possível, restituir os bens alheios e reparar os danos causados.

• O QUE PROÍBE DEUS NO DÉCIMO MANDAMENTO?

Deus proíbe a ambição desordenada e o desejo de conseguir os bens alheios de forma ilícita.

(1Tm 6,10): *A cobiça é a raiz de todos os males*. O décimo mandamento amplia o sentido do sétimo mandamento proibindo os atos interiores referentes ao sétimo mandamento.

• QUE VIRTUDES NOS ENSINAM E INSINUAM ESSES DOIS MANDAMENTOS?

Eles:

1º) ensinam-nos com clareza o direito de propriedade;

2º) dão-nos a base sólida para resolver a questão social em seus múltiplos aspectos: capital e trabalho – salários justos – honestidade nas transações comerciais – condenações dos açambarcadores;

3º) ensinam-nos generosidade nas esmolas; e

4º) condenam a destruidora ambição exagerada das riquezas.

45ª LIÇÃO – OITAVO MANDAMENTO, O LUMINOSO DEFENSOR DA VERDADE: "NÃO DIRÁS FALSO TESTEMUNHO" (ÊX 20,16)

• O QUE NOS PRESCREVE O OITAVO MANDAMENTO?

O oitavo mandamento:

1º) prescreve-nos ser sempre fiéis, amigos da verdade em nossos pensamentos, palavras e atitudes;

2º) prescreve-nos respeitar, e até proteger, o bom nome de nosso próximo. (Ef 4,25): São Paulo nos diz isso com profunda beleza: "Por isso, renunciando à mentira, fale cada um a seu próximo a verdade, pois somos membros uns dos outros". Somos membros do Corpo Místico cuja cabeça é o Cristo, que é "o caminho, a verdade e a vida";

3º) prescreve-nos também a nobre sinceridade.

• O QUE PROÍBE O OITAVO MANDAMENTO?

Proíbe:

1º) o falso testemunho em juízo; **2º)** a mentira; **3º)** a calúnia; **4º)** a murmuração; **5º)** o juízo temerário; **6º)** a intriga.

Expliquemos brevemente esses pontos:

1. O falso testemunho em juízo encerra em si uma grande malícia, pode ter graves consequências. É por isso abominável pecado. Lembremo-nos do processo de Jesus.

2. A mentira consiste em dizer o contrário do que se pensa, com intenção de enganar.

– Devemos evitar sempre a mentira, porque Jesus a condena de forma terrível, dizendo: "Quando ele – o demônio – diz a mentira, fala do que lhe é próprio, porque é mentiroso e pai da mentira" (Jo 8,44).

– Devemos evitar a mentira, porque é detestada por Deus e pelos homens e causa profundos males entre os homens.

(Pr 12,22): *Os lábios mentirosos são abominação para Deus*.

3. Caluniar é atribuir maldosamente ao próximo ações más, pecados ou crimes que ele não cometeu. Aquele que caluniou deve retratar-se e procurar seriamente reparar o mal causado.

Recordemos a história de José do Egito, caluniado gravemente pela mulher de Putifar.

4. A murmuração – também chamada maledicência ou difamação – consiste em falar mal do próximo, comentar seus defeitos, não públicos, sem motivo justo. (Tg 4,11): *Irmãos, não faleis mal uns dos outros!* (Lv 19,16): *Não serás acusador nem maldizente...* Lembremos a preciosa palavra da Escritura: "Mais vale o bom nome do que muitas riquezas".

5. O mexerico, ou intriga, consiste em referir a outro o mal que falaram dele. Esse pecado causa muitos males e, com frequência, semeia inimizades e ódios.

6. O juízo temerário consiste em julgar mal os outros, sem ter justos motivos para isso. (Lc 6,37): *Não julgueis e não sereis julgados; não condeneis e não sereis condenados.* (Lc 18,9-14): *A parábola do fariseu julgando mal o humilde publicano. Esse fariseu foi condenado como pecador.*

- **QUAL É A OBRIGAÇÃO DAQUELES QUE CAUSARAM PREJUÍZO AO PRÓXIMO POR MENTIRA, CALÚNIA, MALEDICÊNCIA, INTRIGA OU FALSO TESTEMUNHO?**

Quem prejudicou o próximo em seu bom nome e em sua boa fama deve seriamente procurar reparar o dano causado. Sigamos o exemplo dos santos que fugiam cuidadosamente dos pecados da língua.

46ª LIÇÃO – MANDAMENTOS DA IGREJA, NOSSA MESTRA ESPIRITUAL

- **DEU-NOS A IGREJA OUTROS MANDAMENTOS?**

Sim. A Igreja, mestra espiritual e mãe solícita, deu ao povo cristão outros mandamentos, para explicar melhor, e em detalhes, certas obrigações e também para tornar mais fácil a observância dos dez mandamentos divinos.

• PODE A IGREJA DAR-NOS ESSES E OUTROS PRECEITOS?

Sem dúvida, pois a Igreja recebeu de Cristo a divina incumbência de dirigir o povo de Deus. (Mt 18,18): *Em verdade, Eu vos digo: tudo o que **ligardes na terra será ligado no céu**. E tudo o que **desligardes na terra será desligado no céu**.*

Essas solenes palavras de Cristo aos apóstolos, e portanto à Igreja, representam uma das mais importantes palavras de Cristo. Igualmente séria é a divina ameaça de Cristo. "Quem não ouvir a Igreja, deve ser considerado um gentio e um pecador público" (Mt 18,17).

Mais. A obediência à Igreja é também em nossos dias o estandarte "Por Cristo", enquanto a desobediência à Igreja é o estandarte "Contra Cristo".

Ouçamos o próprio Cristo: "Quem vos ouve, ouve a Mim... quem vos despreza, a Mim despreza" (Lc 10,16). Em épocas de crises religiosas e morais, essa verdade evangélica assume importância decisiva e histórica.

• A IGREJA NOS DÁ MUITOS MANDAMENTOS EM SUA LEGISLAÇÃO, MAS PRINCIPALMENTE CINCO RECEBEM O NOME DE MANDAMENTOS DA IGREJA.

São os seguintes:

1º) ouvir missa inteira nos domingos e dias santos de guarda, ou seja, nas festas de preceito;

2º) confessar-se ao menos uma vez por ano;

3º) comungar ao menos pela Páscoa;

4º) jejuar e abster-se de carne quando manda a santa Igreja;

5º) pagar dízimos segundo o costume.

47ª LIÇÃO – O PRIMEIRO MANDAMENTO DA IGREJA

- **O QUE NOS PRESCREVE O PRIMEIRO MANDAMENTO DA IGREJA?**

Esse mandamento nos prescreve:

1º) Participar da missa inteira nos domingos e dias santos de guarda.

2º) Nesse mandamento se inclui o preceito de fidelidade ao culto divino.

- **COMO AMPLIOU A IGREJA A OBSERVÂNCIA DESSE PRECEITO?**

A Igreja, por motivos poderosos, concedeu permissão de cumprir o preceito dominical desde as doze horas do sábado.

- **HAVERÁ MOTIVOS QUE DISPENSEM A OBRIGAÇÃO DE PARTICIPAR DA MISSA NOS DOMINGOS?**

Sim, poderá haver essa dispensa quando ocorrerem motivos graves. São motivos graves, entre outros, os seguintes: doenças; atender a doentes; mães de família com crianças pequenas; distâncias da igreja; idade avançada; perigos para o corpo e para alma, como assaltos; grandes prejuízos, e casos semelhantes.

- **HAVERÁ OUTRAS OBRIGAÇÕES EM RECOMENDAÇÕES, PARA SANTIFICAR OS DOMINGOS?**

A Igreja, Mãe solícita, insiste em que escutemos a pregação da palavra divina, que é um grande meio de santificação. "Bem-aventurados os que ouvem a palavra de Deus e a observam".

Recordemos a impressionante Parábola do semeador.

48ª LIÇÃO – O SEGUNDO MANDAMENTO DA IGREJA

- **O QUE NOS PRESCREVE A IGREJA PELO SEGUNDO MANDAMENTO?**

Pelo segundo mandamento, a Igreja manda que os cristãos se confessem ao menos uma vez por ano.

Os cristãos que não tiverem falta grave, não têm essa obrigação. Mas a Igreja recomenda muito a confissão mais frequente porque nos proporciona grandes bênçãos, como o aumento da graça santificante e as preciosas graças sacramentais. Recomenda que isso seja bem explicado aos fiéis.

- **QUAL É O TEMPO RECOMENDADO PELA IGREJA PARA CUMPRIR ESSE PRECEITO?**

É o tempo da quaresma, para que os fiéis se disponham melhor para a comunhão pascal.

Atualmente, esse tempo – no Brasil – vai do dia 2 de fevereiro até o dia 16 de julho.

- **QUE OUTROS MOTIVOS EXISTEM PARA SERMOS FIÉIS AO ESPÍRITO DESSE SEGUNDO PRECEITO?**

Temos a nobre obrigação de sincera gratidão para com Jesus, que nos deu esse divino sacramento, como presente de páscoa e como sacramento de paz e perdão. (Jo 20,21-22): *A paz esteja convosco!... Recebei o Espírito Santo. Àqueles a quem perdoardes os pecados, ser-lhes-ão perdoados;* àqueles *a quem os retiverdes, ser-lhes-ão retidos.*

49ª LIÇÃO – O TERCEIRO MANDAMENTO DA IGREJA: APONTA-NOS O SACRÁRIO SANTIFICADOR

• **O que nos prescreve o terceiro mandamento?**

O terceiro mandamento nos manda comungar ao menos uma vez cada ano, no tempo de páscoa. Mas se alguém estiver impedido de comungar nesse tempo, deve fazê-lo quando lhe for possível.

• **Qual é a vontade de Cristo quanto à comunhão?**

Cristo, dando-nos a comunhão, expressa seu desejo ardente – misterioso amor do Cristo! – de unir-se às nossas vidas:

1º) fazendo a mais comovente promessa de dar-nos a vida eterna;

2º) fazendo também misteriosas ameaças. (Jo 6,32-42; Jo 6,48-52): *Quem comer deste pão viverá eternamente... Se não comerdes a carne do Filho do homem... não tereis a vida em vós.*

• **Além do mandamento, qual é o desejo da Igreja quanto à comunhão dos fiéis?**

A Igreja deseja e aconselha com insistência a comunhão frequente, e até diária, porque a sagrada comunhão é uma riquíssima fonte de bênçãos e de graças, não só para a pessoa que comunga, como também para toda a Igreja, o Corpo Místico de Cristo (At 2,46).

50ª LIÇÃO – QUARTO MANDAMENTO DA IGREJA: ENSINA O CAMINHO DA PENITÊNCIA REDENTORA

- **O QUE NOS PRESCREVE O QUARTO MANDAMENTO DA IGREJA?**

O quarto mandamento nos prescreve o jejum e a abstinência de carne nos dias determinados pela Igreja. Além disso, esse mandamento nos quer lembrar da obrigação de fazer penitência.

- **POR QUE NOS É NECESSÁRIO O ESPÍRITO DE SACRIFÍCIO E PENITÊNCIA?**

1º) Assim nos ensina Jesus: "Se não vos arrependerdes, todos perecereis".

2º) A penitência é necessária para expiar nossas culpas e para fortalecer nossa vontade na luta contra nossas más inclinações.

3º) Para podermos seguir devidamente o Cristo, que nos salvou por sua paixão e morte.

"Se alguém quer seguir-me, abnegue-se (isto é, diga "não" a si mesmo), tome a sua cruz e siga-me".

- **QUAIS SÃO OS DIAS EM QUE A IGREJA PRESCREVE O JEJUM E A ABSTINÊNCIA DE CARNE?**

No Brasil – conforme determinações da Conferência Nacional dos Bispos – valem as seguintes normas:

1. São dias de jejum e abstinência de carne: a 4ª feira de cinzas e a 6ª feira santa.

2. Nas sextas-feiras do ano, a abstinência de carne pode ser comutada por outras formas de penitência, como obras de caridade (por exemplo, esmola) ou exercícios de piedade (por exemplo, missa, via-sacra).

• A QUEM OBRIGA ESSE MANDAMENTO?

A lei do jejum obriga os fiéis, dos 21 anos completos até aos 60 anos começados. A lei da abstinência obriga os fiéis dos 14 anos completos em diante.

51ª LIÇÃO – QUINTO MANDAMENTO DA IGREJA: A IGREJA É TUA CASA RELIGIOSA

• O QUE NOS PRESCREVE O QUINTO MANDAMENTO?

O quinto mandamento da Igreja nos prescreve pagar os dízimos, segundo o costume estabelecido pelas leis eclesiásticas vigentes.

A palavra dízimo – décima parte – indica as contribuições para o culto.

• HÁ OBRIGAÇÃO DE PAGAR ESSES DÍZIMOS?

Sim, devemos pagar o dízimo porque temos a sagrada obrigação de contribuir para as despesas do culto, da justa manutenção dos ministros do altar, para a formação do clero e para as necessárias construções.

• EM QUE SE FUNDA ESSA OBRIGAÇÃO?

Essa obrigação se funda no direito divino e natural.
(1Cor 9,14): *Assim também ordenou o Senhor: os que anunciam o Evangelho, que vivam do Evangelho!*

(1Cor 9,11): *Se para vós semeamos as coisas espirituais, é porventura exigência demasiada colhermos as vossas coisas materiais?*

(Lc 10,7): "O trabalhador é digno de sua remuneração!" É esse o sentido verdadeiro das espórtulas que se dão por ocasião de certos atos religiosos, como batizados, casamentos.

E é assim que sempre o interpretou o bom senso dos fiéis.

III PARTE
NOSSA ELEVAÇÃO À VIDA DIVINA

52ª LIÇÃO – A GRAÇA DIVINA: O MISTÉRIO DE TUA GRANDEZA DIVINA

- **O QUE É A GRAÇA DIVINA?**

A graça divina é um misterioso dom sobrenatural, concedido por Deus, para vivermos nossa vida cristã e, assim, alcançarmos a vida eterna.

- **NÃO PODEMOS NÓS, COM NOSSAS FORÇAS NATURAIS, ALCANÇAR A SALVAÇÃO?**

Só com nossas forças naturais, nós não podemos alcançar nossa salvação.

- **QUEM MERECEU PARA OS HOMENS ESSAS GRAÇAS DIVINAS?**

Foi Nosso Senhor Jesus Cristo que, com sua Paixão e Morte, nos mereceu o tesouro divino das graças que nos alcançam os bens divinos e a salvação.

(Jo 15,5): *Sem mim, nada podeis fazer.*

(Fl 4,13): *Eu posso tudo naquele – Cristo – que me conforta.*

O Mistério da Graça na vida do homem

- **OFERECE DEUS, NOSSO SALVADOR, A TODOS OS HOMENS AS GRAÇAS NECESSÁRIAS PARA A SALVAÇÃO?**

Sim. Deus, infinitamente bom, sempre oferece a todos os homens as graças necessárias para a salvação. (1Tm 2,4): *São Paulo nos diz com toda clareza: "Deus quer que todos os homens se salvem e que cheguem ao conhecimento da verdade".*

(Lc 19,10): "*O Filho do homem veio para salvar o que se perdera*".

- **PODE O HOMEM RESISTIR ÀS LUZES E AOS MOVIMENTOS DIVINOS DA GRAÇA?**

O homem é livre e, por isso, pode livremente cooperar (ou não cooperar) com os impulsos e com as luzes salvadoras da graça.

- **O QUE DIZER DO MISTÉRIO DA COOPERAÇÃO COM A GRAÇA OU DA REJEIÇÃO DA GRAÇA PELO HOMEM?**

Isso é um dos mais difíceis e mais comoventes mistérios da vida dos homens.

(Sl 94,8): *O salmista nos exorta: "Se ouvirdes hoje a voz de Deus, não queirais endurecer os vossos corações".*

Sobre esse mistério, lança uma luz benéfica e orientadora à seguinte verdade: "Quem coopera com a graça, salva-se; e, quem reza sempre, recebe as forças necessárias para cooperar com a graça".

(Lc 19,41): *Jesus chorou sobre Jerusalém e disse: "Quantas vezes eu quis reunir os teus filhos como uma galinha reúne seus pintinhos debaixo de suas asas! Tu, porém, não o quiseste!"*

53ª LIÇÃO – A GRAÇA ATUAL: FONTE DE LUZES E FORÇAS DIVINAS PARA AS ALMAS

• **Quantas espécies nós distinguimos de graças?**
Há duas espécies principais de graças:
1º) A graça atual, também chamada com muita propriedade de "graça auxiliar";
2º) A graça habitual, chamada mais comumente de "graça santificante". Além disso, devemos mencionar a "graça especial", a que os sacramentos bem recebidos nos dão um direito sagrado. Por exemplo, quem recebe o batismo tem direito a receber graças especiais que o ajudarão a viver como bom cristão.

• **O que é a graça atual?**
A graça atual é um auxílio divino que nos é dado para fazer o bem e evitar o mal e, assim, alcançar a salvação.

• **Como atua em nós essa graça?**
A graça atual:
1º) ilumina e orienta nossa inteligência, para conhecermos com mais clareza o bem e os valores divinos;
2º) move e auxilia a vontade, para querer o bem e para realizá-lo;
3º) muitas vezes essa graça divina atua sobre nossos afetos, para levá-los mais seguramente para o bem.

• **A graça atual nos é necessária?**
Sim, a graça atual nos é necessária.
Sem a graça, ou seja, sem o auxílio de Deus, não podemos viver a nossa fé, não podemos guardar os mandamentos.

(Jo 15,5): É nesse sentido que devemos entender a palavra de Jesus: "Sem mim, nada podeis fazer".

54ª LIÇÃO – A GRAÇA SANTIFICANTE: FONTE DE VIDA DIVINA

• **O QUE É A GRAÇA SANTIFICANTE?**

A graça santificante é um misterioso dom sobrenatural que nos enriquece com extraordinários bens divinos:

1º) A graça santificante nos comunica, de modo misterioso, a vida divina:

(Jo 10,10): *"Eu – diz Jesus – vim para que eles tenham a vida e a tenham em abundância"*.

2º) Faz-nos herdeiros do céu:

(Rm 8,17): *"Se somos filhos, somos também herdeiros"*.

3º) A graça santificante nos dá o direito sagrado de receber a comunhão, que é o alimento celestial da vida divina em nós.

• **QUE DEVEMOS FAZER PARA VIVER SEMPRE MAIS INTENSAMENTE A VIDA DIVINA, COMUNICADA PELA GRAÇA SANTIFICANTE?**

Devemos:

1º) rezar, pois a oração protege e aumenta a graça santificante;

2º) participar da missa e da comunhão, que são os meios por excelência para aumentar em nós a graça;

3º) praticar obras de caridade com boa intenção.

• PODEMOS PERDER A GRAÇA SANTIFICANTE, ESSA VIDA DIVINA?

Sim. Infelizmente podemos perder a graça santificante pelo pecado mortal, que destrói a vida divina em nós.

"Se alguém não permanecer em mim, será lançado fora como o ramo seco." Assim nos fala Jesus na linda passagem da Videira e dos Ramos (Jo 15,1-8).

• COMO PODEREMOS ADQUIRIR NOVAMENTE A GRAÇA, SE A TIVERMOS PERDIDO?

Recebemos a graça santificante pela primeira vez no batismo. Caso a perdermos, podemos readquiri-la, principalmente, pelo sacramento da penitência.

A graça santificante: nos traz riquezas divinas

• A GRAÇA SANTIFICANTE TRAZ MERECIMENTOS ESPECIAIS PARA NOSSAS OBRAS?

Sim. As nossas boas obras, feitas com reta intenção e em estado de graça, alcançam-nos:

1º) o aumento de graça santificante;
2º) novos merecimentos para o céu;
3º) além disso, alcançam-nos novos auxílios divinos para nossa santificação.

(Mt 5,12): *"Ficai alegres e contentes, porque vossa recompensa é copiosa no céu!"*

(Mt 6,1 e ss.): *Nessa passagem, Jesus nos ensina a fazer as boas obras por Deus, e não por ostentação, para termos merecimentos no céu.*

- **E NOSSAS BOAS OBRAS, FEITAS EM ESTADO DE PECADO MORTAL, NÃO NOS ALCANÇAM MERECIMENTOS E GRAÇAS DIVINAS?**

Essas boas obras têm muito valor perante Deus, pois nos alcançam a graça da conversão, embora não nos alcancem merecimentos para o céu.

55ª LIÇÃO – OS SACRAMENTOS: AS GRANDES FONTES DA GRAÇA DIVINA

- **O QUE SÃO OS SACRAMENTOS?**

Os sacramentos são os meios externos e sensíveis com que a Igreja nos confere graças divinas.

- **QUEM INSTITUIU OS SACRAMENTOS?**

Foi Nosso Senhor Jesus Cristo que instituiu os sacramentos e os entregou à Igreja, para que ela mantivesse abertas, para os homens, essas fontes das graças da redenção.

- **QUEM ADMINISTRA OS SACRAMENTOS?**

Quem administra os sacramentos são os ministros da Igreja. Mas quem nos comunica a graça é Jesus Cristo, que mereceu essas graças por sua paixão e morte.

- **QUANTOS E QUAIS SÃO OS SACRAMENTOS INSTITUÍDOS POR NOSSO SENHOR?**

São sete:
1. Batismo; 2. Confirmação; 3. Eucaristia; 4. Penitência; 5. Unção dos enfermos; 6. Ordem; 7. Matrimônio.

A prova dessa importante verdade nós a temos na Escritura e na doutrina da Igreja.

• QUAIS SÃO OS ELEMENTOS CONSTITUTIVOS DOS SACRAMENTOS?

Os elementos constitutivos, portanto necessários, dos sacramentos são dois: o sinal ou elemento externo e a graça que é comunicada.

1º) O sinal, ou elemento externo, é enriquecido com cerimônias organizadas pela Igreja.

2º) A graça divina, que é comunicada. Como somos criaturas compostas de corpo e alma, Cristo quis unir a doação da graça a um sinal externo.

Recordemos como Jesus realizou quase todos os milagres com palavras e ações externas. Por exemplo: (Jo 9,6ss.): *Cura do cego de nascimento: "Jesus fez barro com a saliva e untou os olhos do cego e disse-lhe: Vai lavar-te na piscina de Siloé! Ele lavou-se e voltou vendo"*. Assim também (Mc 7,33ss.) e outros milagres.

• QUAL É, NO PLANO DA REDENÇÃO, A GRANDE FINALIDADE DOS SACRAMENTOS?

Os sacramentos têm duas importantes finalidades:

1º) conferir a vida divina, como o batismo e o sacramento da penitência;

2º) aumentar e fortalecer essa vida divina.

São, por isso, verdadeiramente as maravilhosas fontes da graça divina.

• QUANTAS VEZES PODEM SER RECEBIDOS OS SACRAMENTOS?

O batismo, a confirmação e a ordem podem ser recebidos uma só vez, porque imprimem um caráter, isto é, porque imprimem uma realidade sagrada permanente. Vejamos essa passagem de São Paulo: (2Cor 1,21ss.): *"Foi Deus que nos ungiu, que nos marcou com seu sigilo e, como penhor, infundiu o Espírito em nossos corações"*. Os outros sacramentos podem ser recebidos mais vezes. Por isso, devemos aproveitar as graças que jorram dessas fontes de vida divina.

56ª LIÇÃO – O BATISMO

• **O QUE É BATISMO?**

O batismo – que é o primeiro sacramento – nos faz renascer da água e do Espírito Santo. Pelo batismo, nascemos para a vida divina.

• **QUE GRAÇAS NOS CONFERE O SANTO SACRAMENTO DO BATISMO?**

O batismo nos confere as graças seguintes:

1º) purifica-nos do pecado original e de outros pecados pessoais, se os houver (batismo de adultos);

2º) confere-nos a graça santificante, que nos faz filhos de Deus, herdeiros do céu, irmãos uns dos outros e membros da Igreja;

3º) imprime em nós o caráter sagrado de cristãos;

4º) dá a nós um direito sagrado à graça sacramental, que nos ajudará a viver como filhos de Deus, irmãos de Cristo e irmãos dos nossos irmãos.

• **QUEM É O AUTOR DO BATISMO?**

O autor do batismo é Nosso Senhor Jesus Cristo, que o instituiu com as solenes palavras: "Ide e ensinai todos os povos e batizai-os em nome do Pai e do Filho e do Espírito Santo".

• Por que devemos estimar muito o santo sacramento do batismo?

Devemos estimar muito o santo batismo porque é o mais importante. Jesus fala sobre o batismo com as palavras seguintes: "Em verdade, em verdade, eu vos digo: quem não renascer pela água e pelo Espírito Santo, não pode entrar no Reino de Deus".

• Qual é o sinal sensível e externo do batismo?

O sinal sensível e externo do batismo consiste em derramar água na cabeça do batizando e pronunciar as palavras: "Eu te batizo em nome do Pai e do Filho e do Espírito Santo".

• Por que ordena a Igreja que os batizandos tenham padrinho e madrinha?

Essa lei da Igreja ensina seriamente o grave dever de zelar pela instrução e formação religiosa do batizando.

Por isso os não católicos, os hereges e inimigos da Igreja não podem ser padrinhos.

• O que significam as expressões: "batismo de desejo" e "batismo de sangue"?

A Igreja ensina que o sincero desejo de ser batizado alcança – para quem não pode ser batizado – a graça santificante e a salvação. O batismo de sangue quer dizer que o martírio sofrido por Cristo concede a graça divina e a salvação.

(Mc 8,35): *"Quem perder a sua vida por causa de mim e do Evangelho, salvá-la-á"*.

Os "Santos Inocentes" e muitos outros santos mártires nos falam claramente dessa doutrina da Igreja.

• Quem é o ministro do batismo?
O ministro ordinário do batismo é o sacerdote.

• O que significa batismo em caso de necessidade?
A Igreja nos ensina o seguinte: em caso de necessidade, qualquer pessoa pode e deve batizar. Essa doutrina nos revela a vontade divina de salvar os homens. Por isso, os cristãos devem ser instruídos com toda clareza sobre esse ponto e, além disso, deve-se instruir o povo cristão com insistência sobre a grave obrigação dos pais de batizarem seus filhos, o mais cedo possível.

57ª LIÇÃO – A CONFIRMAÇÃO OU CRISMA

• Que graças nos alcança o sacramento da confirmação ou crisma?
A confirmação nos alcança grandes e preciosas graças:
1º) enriquece-nos com os Dons do Espírito Santo;
2º) dá-nos graças para sermos cristãos adultos e nos ajuda a praticar e a defender nossa fé;
3º) dá-nos o espírito de apostolado em favor de nossos irmãos;
4º) e imprime em nós o caráter de defensores da nossa fé, na luta com o Cristo pelo Reino de Deus.

• O que são os Dons do Espírito Santo?
São graças especiais que:
1º) iluminam-nos mais profundamente com luzes divinas, para compreendermos melhor as verdades reveladas;

2º) fortalecem-nos, para praticarmos mais generosamente a doutrina de Jesus, mesmo a doutrina da cruz;

3º) e enobrecem nossos sentimentos e nossa vida afetiva, orientando-nos assim para Deus.

• Quais são os Dons do Espírito Santo?

Os Dons do Espírito Santo são:
sabedoria, inteligência, conselho, fortaleza, ciência, piedade e temor de Deus.

• Qual é o ministro da confirmação?

O ministro ordinário da confirmação é o bispo; ministro extraordinário é qualquer sacerdote que tenha delegação especial.

• Como se administra o sacramento da crisma?

O bispo impõe a mão, faz a unção com o santo crisma dizendo: "Recebe por este sinal o dom do Espírito Santo".

• Qual é outra cerimônia característica da confirmação?

É essa: o bispo traça um sinal da cruz na fronte do crismando e, em seguida, bate levemente no rosto dele, para simbolizar que o cristão deve professar, feliz e generoso, sua fé em Cristo, o Cristo crucificado, e deve estar disposto até a sofrer ofensas e afrontas por causa da fé.

• Qual é a preparação exigida para receber esse sacramento?

1. A idade mais indicada é a adolescência.

2. Recomenda-se, além disso, que haja uma sólida instrução religiosa. Atender a esses dois requisitos contribui eficazmente para a formação de uma juventude mais conscientizada e firme na fé.

- **QUAL A FINALIDADE DOS PADRINHOS E MADRINHAS?**

Os padrinhos ou madrinhas têm uma finalidade e função análoga aos padrinhos do batismo, isto é, colaborar na formação religiosa dos afilhados.

58ª LIÇÃO – A SANTÍSSIMA EUCARISTIA

- **QUAIS OS MISTÉRIOS INDICADOS SOB A DESIGNAÇÃO DE EUCARISTIA?**

São três grandes mistérios:
1. o mistério da presença real;
2. o mistério do Santo Sacrifício da Missa;
3. o mistério da Sagrada Comunhão.

O mistério da presença real

- **O QUE É O MISTÉRIO DA PRESENÇA REAL?**

É o mistério profundo que nos revela que Jesus Cristo está realmente presente debaixo das espécies do pão e vinho consagrados.

- **ESSA PRESENÇA É VERDADEIRAMENTE UMA PRESENÇA REAL OU SOMENTE UMA PRESENÇA SIMBÓLICA?**

A presença de Jesus na eucaristia é – como nos ensina a fé – uma presença real e verdadeira.

Jesus Cristo está realmente nesse adorável sacramento com seu corpo, sangue, alma e divindade, tão real e perfeitamente como no céu.

Enunciando esse mistério, nós enunciamos um dos mais profundos mistérios: "Eis o mistério da fé!"

• EM QUE FONTES SAGRADAS SE FUNDA A NOSSA FÉ NESSE MISTÉRIO?

Nossa fé se funda:

1º) Nas palavras solenes, claras e firmes, com que Jesus fez a promessa desse mistério.

(Jo 6,48-51): Desse capítulo 6, destacamos somente:

(6,48): *"Eu sou o pão da vida..."*

(6,51): *"Eu sou o pão vivo que desci do céu. Quem comer deste pão viverá eternamente. E o pão que Eu hei de dar é a minha carne para a salvação do mundo".*

2º) Nossa fé se funda nas palavras da instituição da eucaristia, na Última Ceia:

(Lc 22,19): "Tomai e comei, isto é o meu corpo que vai ser entregue por vós. Fazei isto em memória de mim".

(Lc 22,20): "Este cálice é a nova aliança em meu sangue que é derramado por vós..."

Ler toda a narrativa da Última Ceia: (Lc 22,27-20; Mt 26; Mc 14).

3º) Nossa fé se funda na pregação dos apóstolos – pregação confirmada pelo martírio.

4º) Nossa fé se funda no ensino multissecular da Igreja – ensino iluminado pela santidade dos fiéis alimentados pelo "pão da vida".

• QUAL É A IMPORTÂNCIA DAS PALAVRAS DE JESUS, DIRIGIDAS AOS APÓSTOLOS: "FAZEI ISSO EM MEMÓRIA DE MIM"?

Com essas palavras, Jesus deu aos apóstolos e a seus sucessores o poder divino de mudar – como Ele o fez – o pão e o vinho em seu corpo e em seu sangue. Mistério esse que se realiza na Missa.

- **QUAIS FORAM AS MISTERIOSAS RAZÕES QUE LEVARAM JESUS A INSTITUIR A SAGRADA EUCARISTIA?**

Nosso Senhor Jesus Cristo instituiu a sagrada eucaristia por grandes e divinas razões:

1º) Cristo, em seu infinito amor, quis ficar conosco.

2º) Quis ser o misterioso alimento divino de nossos corações divinizados pela graça.

3º) Jesus quis continuar na missa, de modo místico, através dos séculos, o sacrifício redentor da cruz, que é o mais sublime cântico dos cânticos do amor de Deus para com os homens.

Só a fé, que nos faz compreender o mistério do Calvário, faz-nos compreender o mistério da eucaristia.

A Sagrada Comunhão: Nosso alimento divino

- **O QUE NOS ENSINA A FÉ SOBRE A COMUNHÃO?**

A fé nos ensina que, quando recebemos a comunhão, nós recebemos, como alimento divino, o corpo e o sangue de Jesus Cristo, misteriosamente oculto a nossos sentidos.

- **COMUNGANDO SÓ DEBAIXO DE UMA ESPÉCIE, RECEBEMOS REALMENTE O CORPO E O SANGUE DE JESUS CRISTO?**

Sim. Porque Jesus Cristo está realmente debaixo de cada uma das espécies eucarísticas.

(Jo 6,52): *"Quem comer deste pão viverá eternamente"*.

• Quais são os misteriosos efeitos da sagrada comunhão?

As grandes graças que a comunhão nos concede são:

1º) a misteriosa união de Jesus conosco e por Ele, com o Pai e com nossos irmãos;

2º) a comunhão alimenta a vida divina, a vida da graça que recebemos no batismo;

3º) concede-nos forças especiais para viver e agir como filhos de Deus e como irmãos de nossos irmãos;

4º) guarda nossa alma para a vida eterna. (Jo 6,54): *"Quem come minha carne e bebe meu sangue tem a vida eterna e eu o ressuscitarei no último dia".*

• Quando devemos comungar?

A Igreja prescreve a sagrada comunhão pelo menos uma vez por ano, pela páscoa. Mas é desejo insistente da Igreja que comunguemos com frequência, e até diariamente.

E esse é também o desejo de Jesus expresso com divina seriedade: (Jo 6,54): *"Em verdade, em verdade, Eu vos digo: se não comerdes a carne do Filho do Homem e se não beberdes o seu sangue, não tereis a vida em vós".*

Piedade e Liturgia para a digna recepção da Sagrada Comunhão

• Quais são as mais importantes disposições para comungar bem?

São as seguintes:

1º) estar em estado de graça, isto é, não ter pecado mortal;

2º) observar o jejum eucarístico, isto é, estar em jejum pelo menos uma hora antes da comunhão;

3º) fazer uma piedosa preparação, como seja, fazer atos de fé, de esperança e de amor;

4º) participar da missa com fé e devoção é a mais excelente das preparações;

5º) apresentar-se à comunhão com o maior respeito externo – atitude e traje – e com a mais nobre piedade.

• É PECADO COMUNGAR EM ESTADO DE PECADO MORTAL?

Sim. Comungar conscientemente em estado de pecado mortal é um triste sacrilégio e nos traz grandes males. São Paulo nos exorta: "Examine-se a si mesmo o homem e assim coma deste pão e beba deste cálice" (1Cor 11,28).

É também de São Paulo esta palavra: "Todo aquele que comer deste pão ou beber o cálice do Senhor, indignamente, será réu do Corpo e do Sangue do Senhor".

• HÁ ALGUMAS DISPOSIÇÕES ATUAIS A RESPEITO DA SAGRADA COMUNHÃO?

Sim.

1º) Quanto a comungar ajoelhado ou em pé; comungar na mão ou na boca; observem-se as disposições das diversas dioceses. Quando se comunga na mão – atender, com cuidado, aos fragmentos.

2º) O mais importante é que tudo se faça com máximo espírito de fé e piedade.

O Santo Sacrifício da Missa

• O QUE QUER DIZER SACRIFÍCIO?

Sacrifício é um dom, um bem, uma oferta, que nós oferecemos a Deus para reconhecer, por esse dom, que Ele é o Senhor de todos os bens que nós possuímos.

• Qual é o grande sacrifício que Jesus ofereceu pelos homens?

O sacrifício de valor infinito que Nosso Senhor Jesus Cristo ofereceu pelos homens e pela sociedade, ao começar o Novo Testamento, foi o imolar-se por nós no altar da cruz.

• Por que sacrificou Jesus sua vida no altar da Cruz?

Jesus sacrificou sua vida no altar da Cruz:
1º) para nos remir dos nossos pecados;
2º) para nos alcançar as graças necessárias para nossa salvação.

• Qual é a relação entre o sacrifício da missa e o sacrifício da cruz?

A fé nos ensina que a missa é a misteriosa, incruenta e essencial renovação do sacrifício da cruz. O profeta Malaquias anunciou, em grandiosa visão, a missa como o grande sacrifício, celebrado em todo o mundo e em todos os séculos (Ml 1,11).

• Em que se realiza a identidade do sacrifício da cruz e da missa?

O mesmo Jesus que se ofereceu por nós no sacrifício da cruz é quem se oferece por nós na missa.

• Qual é a diferença entre o sacrifício da cruz e da missa?

1º) Na cruz, Jesus Cristo se ofereceu e se imolou por si mesmo, derramando seu sangue.

2º) Na missa, Jesus se oferece, pelo ministério dos sacerdotes, de forma incruenta, isto é, sem derramar o seu sangue.

(Lc 22,19): *"Fazei isto em memória de Mim"*.

(1Cor 10,16ss.): *"O cálice da bênção que nós consagramos não é a comunhão do sangue de Cristo? E o pão que nós partimos não é a participação do corpo do Senhor?"*

- **QUANDO INSTITUIU JESUS O SANTO SACRIFÍCIO DA MISSA?**

Jesus Cristo instituiu o santo sacrifício da missa na Última Ceia, na Quinta-feira Santa, dando aos apóstolos o poder sacerdotal e ordenando-lhes que renovassem a imolação e o sacrifício de seu corpo e seu sangue.

(Lc 22,19): *"Fazei isto em memória de Mim"*.

- **QUAIS SÃO OS VALORES IMENSOS DA MISSA PARA OS HOMENS?**

A missa é o grande sacrifício latrêutico, eucarístico, propiciatório e impetratório que Cristo nos outorgou.

Sacrifício latrêutico, isto é, com Cristo nós adoramos a Deus.

Sacrifício eucarístico, isto é, com Cristo nós agradecemos a Deus.

Sacrifício propiciatório, isto é, com Cristo nós oferecemos a Deus reparação e pedimos perdão de nossos pecados.

Sacrifício impetratório, isto é, com Cristo nós pedimos graças e bênçãos divinas.

Unidas assim a Cristo, as orações da Igreja e nossas orações assumem grandeza e valores divinos e, em certo sentido, infinitos. Daí as palavras de São Paulo: (Hb 4,16): "Aproximemo-nos cheios de confiança do trono da graça!"

A Liturgia da Missa

- **COMO DEVEMOS PARTICIPAR DO SANTO SACRIFÍCIO DA MISSA?**

Sempre com os mais profundos sentimentos de fé e devoção, pois na missa se renovam misticamente os sofrimentos e a morte de Jesus, nosso santíssimo Redentor.

É muito profunda e comovente a palavra: "Em nossos altares todos os dias é Sexta-feira Santa".

- **PODERIA A MISSA DOMINICAL AJUDAR A RESOLVER AS GRANDES QUESTÕES SOCIAIS?**

Sem dúvida. Pois a missa reúne, de um modo único e divino, a família de Deus, e pela sagrada comunhão nos recorda de que todos, grandes e pequenos, ricos e pobres, todos somos irmãos em Cristo.

- **PODERÁ IGUALMENTE A MISSA AJUDAR A RESOLVER A QUESTÃO E O PROBLEMA VOCACIONAL, QUE É UM PROBLEMA GRAVÍSSIMO?**

Sim. E por várias razões:

1º) A missa bem compreendida e vivida pelos jovens é a divina e a máxima motivação da vocação sacerdotal. É a mais autêntica motivação e, por isso, a mais decisiva.

2º) A missa piedosamente participada é a mais animadora força para o jovem aspirante.

3º) A missa piedosamente celebrada é a mais eficiente força formadora do sacerdote educador: subir o Calvário com Cristo, e com Cristo, no Calvário, realizar a redenção do mundo, a salvação dos nossos irmãos.

• COMO ESTÁ ORGANIZADA A LITURGIA DA MISSA?

A missa, o grande ato sacrifical, tem as seguintes partes litúrgicas:

I. Orações preparatórias.

II. A liturgia da palavra, que inclui leituras da Sagrada Escritura e a homilia, ou seja, uma prática explicativa.

III. O ofertório, no qual se faz a oferenda do pão e do vinho.

IV. A oração eucarística, cuja parte essencial é a Consagração, na qual se realiza o profundíssimo mistério da transubstanciação, momento divino no qual o pão e o vinho são transformados no Corpo e Sangue de Cristo.

V. A comunhão, que é a participação mais perfeita dos fiéis.

VI. E os ritos finais.

• A QUEM OFERECEMOS O SACRIFÍCIO DA MISSA?

A missa, como sacrifício divino, é oferecida essencialmente a Deus. Podemos, porém, fazer a piedosa comemoração da Santíssima Virgem e dos santos: expressão linda da comunhão dos santos em Cristo, por Cristo e com Cristo.

• PODEMOS REZAR A MISSA PELAS ALMAS?

Sim. A Igreja nos ensina, pela liturgia, essa verdade. Na missa, podemos oferecer principalmente o valor expiatório da missa pelas almas do purgatório.

• DEVEMOS ASSISTIR À MISSA TODOS OS DOMINGOS?

Sim, como determina o primeiro mandamento da Igreja. A grandeza divina desse sacrifício e a eficácia divina da missa, como fonte de graças, deveriam-nos, além disso, como que impelir a uma frequência assídua. O amor de Cristo manifestado nesse mistério nos obriga a estimar sagradamente a missa.

59ª LIÇÃO – O SACRAMENTO DA PENITÊNCIA

- **O QUE É O SACRAMENTO DA PENITÊNCIA?**

O sacramento da penitência, ou a confissão, é o sacramento da misericórdia divina e da paz.

- **POR QUE A PENITÊNCIA É CHAMADA O SACRAMENTO DA MISERICÓRDIA DIVINA E DA PAZ?**

A penitência é chamada o sacramento da misericórdia e da paz pelas razões seguintes:

1º) Porque, nesse sacramento, Deus perdoa com divina bondade nossos pecados.

2º) É o sacramento da paz, porque essa paz é um divino efeito do nosso encontro com Deus, que é **luz** e **amor**. Recordemos a parábola do Filho pródigo.

- **QUANDO INSTITUIU JESUS ESSE SACRAMENTO?**

Jesus instituiu esse sacramento no dia mais feliz da humanidade, isto é, no dia da Páscoa da Ressurreição, simbolizando assim que o sacramento do perdão seria também o da paz.

(Jo 20,19): *"A paz esteja convosco!"*

- **COM QUE PALAVRAS INSTITUIU JESUS ESSE SACRAMENTO?**

Jesus instituiu esse sacramento quando disse aos apóstolos: "Recebei o Espírito Santo! A quem perdoardes os pecados, ser-lhes-ão perdoados; a quem os retiverdes, ser-lhes-ão retidos (Jo 20,23ss.).

Necessidade de receber o sacramento da penitência

• É NECESSÁRIO RECEBER O SACRAMENTO DA PENITÊNCIA?

O sacramento da penitência é necessário para aqueles que cometeram pecado mortal e que têm possibilidade de confessar-se.

• E PARA OS QUE COMETERAM PECADO MORTAL E NÃO TÊM POSSIBILIDADE DE CONFESSAR-SE, NÃO HÁ OUTROS MEIOS DE ALCANÇAR O PERDÃO?

Sim. O ato de amor perfeito a Deus, ou a contrição perfeita, com o desejo de confessar-se, alcança-nos o perdão dos nossos pecados e nos abre as portas do céu.

• É RECOMENDÁVEL FAZER COM FREQUÊNCIA O ATO DE CONTRIÇÃO PERFEITA?

É utilíssimo fazer com frequência o ato de contrição perfeita. É uma das práticas mais necessárias para nos garantir a salvação eterna.

Uma nota pastoral importante:
As pessoas que assistem os doentes, que não têm possibilidade de confessar-se, devem fazer com eles fervorosos atos de amor e sinceros atos de contrição perfeita. Essa caridade salvará muitos irmãos.

• A IGREJA NOS PRESCREVE A CONFISSÃO?

Sim. No segundo mandamento da Igreja, está expressa a determinação de confessar-se pelo menos uma vez por ano e em perigo de morte.

• Quais devem ser os sentimentos dos cristãos, ao recordarem a misericórdia de Jesus que nos deu o sacramento da penitência?

Todos nós devemos ter os mais profundos sentimentos de gratidão para com nosso Redentor, por nos ter dado esse sacramento que nos abre as portas do céu. Gratidão que é o cântico feliz de milhões de pecadores perdoados.

Liturgia da confissão, ou seja, do Sacramento da Penitência

• Quais são os atos necessários para fazermos uma boa confissão?

São os seguintes:
1º) um prudente exame de consciência;
2º) um sincero arrependimento dos pecados cometidos;
3º) um sincero bom propósito de não pecar;
4º) uma humilde acusação dos pecados;
5º) cumprir a penitência marcada pelo confessor;

Após a acusação dos pecados, o sacerdote dá a absolvição ou o perdão dos pecados em nome de Deus.

Exame de consciência

• Como devemos fazer o exame de consciência?

1º) É bom pedir a graça de conhecermos com clareza os nossos pecados.

2º) Refletir com seriedade sobre os pecados que tenhamos cometido depois da última confissão bem feita.

Contrição

- **EM QUE CONSISTE A CONTRIÇÃO OU ARREPENDIMENTO?**

A contrição ou arrependimento dos pecados é o humilde e sincero pesar de ter ofendido a Deus, nosso Pai, Senhor e Benfeitor.

Quando dizemos "sentir dor" dos pecados, não queremos indicar um sentimento sensível de dor, mas queremos indicar um ato da vontade, nascido da fé, que nos ensina que o pecador ofende a Deus.

Deus concede, às vezes, a graça de sentirmos também uma dor e uma tristeza profunda dos pecados. É uma graça muito grande.

São Pedro chorou amargamente o pecado de ter negado a Jesus.

- **QUE REFLEXÕES PODEMOS FAZER, PARA TERMOS SINCERO ARREPENDIMENTO?**

Entre outras, são ótimas as reflexões seguintes:

1º) Pelo pecado mortal, perdemos o direito ao céu e nos tornamos merecedores do inferno.

2º) Os pecados foram causadores da paixão e morte de Cristo, que quis sofrer e morrer para nos alcançar a graça do perdão.

- **QUE CONSIDERAÇÃO É MUITO ÚTIL PARA VENCERMOS A TIMIDEZ, O DESÂNIMO E ATÉ O RECEIO DE NÃO SERMOS PERDOADOS?**

Recordemos que a misericórdia de Deus é infinita, e que Deus não olha para a gravidade do pecado, mas para nosso arrependimento.

É consolador recordar a palavra tão divina de Jesus: "Há no céu mais alegria por um pecador que se converte..."

• COMO PODEMOS FAZER UM ATO DE CONTRIÇÃO?

Um ato de contrição breve, mas muito bom, é o seguinte: "Meu bom Jesus, eu pequei – eu me arrependo – não quero mais pecar – perdoai-me".

Propósito

• O QUE É O BOM PROPÓSITO OU PROPÓSITO DE EMENDA?

O bom propósito, ou o propósito de emenda, é a firme resolução de nossa vontade de não mais pecar ou de esforçar-se seriamente para não mais pecar e – conforme o caso – é a sincera e decidida vontade de evitar a ocasião próxima do pecado.

• O QUE É A OCASIÃO PRÓXIMA DO PECADO?

Ocasião próxima do pecado é uma pessoa, um livro, um teatro, uma companhia, que nos leva sempre, ou quase sempre, a cair em pecado grave.

• É IMPORTANTE TER SINCERA DOR DOS PECADOS E FIRME RESOLUÇÃO DE NÃO PECAR?

Sim. A sincera dor e a firme resolução de não mais pecar – como explicamos acima – é condição necessária para uma boa confissão.

Essa resolução, séria e sincera de não tornar a pecar, não exclui o receio de cair novamente por causa de nossa miséria.

Por isso, o grande conselho dos santos confessores: "Levanta-te irmão, levanta-te sempre, até a morte te encontrar de pé".

Acusação dos pecados

• Em que consiste a confissão ou acusação dos pecados?

A confissão, ou acusação dos pecados, consiste na humilde e simples manifestação dos próprios pecados ao sacerdote.

• Por que é necessário confessar os pecados?

É necessário confessar os pecados porque Jesus deu aos apóstolos o poder de perdoar, ou de não perdoar, e somente havendo a acusação dos pecados, o sacerdote pode proceder ao devido julgamento.

Além disso, a Igreja, instruída pelos apóstolos, sempre ensinou essa doutrina.

(At 19,18): *"Muitos dos fiéis vinham e acusavam o que tinham praticado"*.

• Que pecados devemos confessar?

Devemos confessar todos os pecados mortais, de que nos acusa a consciência e que ainda não tenhamos confessado. Se alguém, de propósito, oculta algum pecado mortal, torna a confissão inválida.

• É necessário confessar os pecados veniais?

A confissão dos pecados veniais não é necessária, mas é muito útil:

1º) Porque aumenta a graça santificante, que é o grande tesouro divino.

2º) Concede-nos a graça sacramental específica da confissão, que consiste em nos alcançar forças espirituais para vencer nossas más inclinações, fonte de tantos pecados.

3º) Porque contribui para nosso progresso espiritual, proporcionando-nos um conhecimento mais perfeito de nossos defeitos e sempre nos animando a corrigi-los, pelos bons propósitos que fazemos e pelos bons conselhos que recebemos.

• COMO NOS ANIMAR A FAZER SEMPRE UMA BOA CONFISSÃO, VENCENDO FALSOS RECEIOS E VERGONHA?

1º) Devemos sempre recordar que somos pobres pecadores. De nossos pecados, devemos ter não medo ou vergonha, mas sim sincero arrependimento.

2º) Assim fizeram os grandes convertidos, como Santo Agostinho, cuja humilde autobiografia – *Confissões* – vem sendo lida há tantos séculos.

3º) No céu há um número imenso de grandes santos que foram em vida grandes pecadores. Seus pecados perdoados formam um hino de amor e gratidão à infinita misericórdia de Deus.

• QUAIS SÃO AS GRANDES GRAÇAS QUE NOS ALCANÇA O SACRAMENTO DA PENITÊNCIA?

Alcança-nos as graças seguintes:

1º) Perdoa os pecados mortais, restitui a graça santificante e, assim, faz-nos novamente filhos de Deus e herdeiros do paraíso.

2º) Quando o penitente tiver somente pecados veniais, perdoa esses pecados e aumenta a graça santificante.

3º) Além disso, confere a graça sacramental, que é uma graça especial, para termos forças de nos emendar e de vencer nossas más inclinações.

- **QUE OUTRAS GRAÇAS NOS ALCANÇA O SACRAMENTO DA CONFISSÃO?**

1º) Restitui a paz e realiza isso, às vezes, de forma sensível e extraordinária, como vemos em tantos pecadores convertidos.

2º) Ele nos reintegra no Corpo Místico de forma viva e atuante.

Satisfação

- **EM QUE CONSISTE A SATISFAÇÃO OU A ASSIM CHAMADA "PENITÊNCIA IMPOSTA" PELO CONFESSOR?**

A satisfação, ou penitência imposta pelo confessor, consiste em rezar algumas orações ou fazer alguma boa obra, segundo a determinação do confessor.

- **QUAL É O MÉTODO DESSA PENITÊNCIA MARCADA PELO CONFESSOR?**

Essa penitência tem o fim de oferecer a Deus uma reparação mais perfeita por nossos pecados.

Além dessa penitência, marcada pelo confessor, seria muito útil oferecer outras orações e boas obras, como esmolas, para a mais perfeita expiação dos nossos pecados.

- **QUAL É A OBRA DE PENITÊNCIA MAIS IMPORTANTE E MAIS SANTIFICADORA QUE PODEMOS OFERECER A DEUS?**

É, sem dúvida, sofrer com paciência os sofrimentos e dores desta vida e aceitar com resignação e conformidade as cruzes que Deus nos envia.

Recordemos que essa conformidade com a vontade de Deus nos leva com segurança à santidade.

(Mt 4,17): *Jesus começa a pregar e a dizer: "Fazei penitência, porque está próximo o Reino de Deus"*. Há, além disso, outro meio para alcançarmos perdão dos pecados e dos castigos merecidos: é perdoar aos que nos ofendem e injuriam.

Jesus mesmo ensinou esse meio: "Perdoai as nossas ofensas, assim como nós perdoamos..."

60ª LIÇÃO – QUESTÕES ATUAIS REFERENTES AO SACRAMENTO DA PENITÊNCIA

• A prática da confissão comunitária será doutrina nova na Igreja?

A prática da confissão comunitária legítima, isto é, feita em casos de verdadeira e urgente necessidade, é prática muito antiga e sempre esteve em uso. Por exemplo, dar a absolvição coletiva a um corpo de exército, que segue para a batalha. Um comovente exemplo aconteceu no naufrágio do Titanic: dois sacerdotes, cercados de centenas de passageiros, animando-os e dando-lhes a absolvição...

• A comunidade pode atuar como ministro do sacramento da penitência?

De forma alguma. Os ministros do sacramento da penitência são os sacerdotes.

Em caso de necessidade, por exemplo, atendendo a um doente, deve-se orientar e animar o doente a que faça o ato de contrição perfeita.

Qualquer pessoa pode e deve fazer isso: é o apostolado da contrição perfeita.

Será sempre um importante apostolado rezar pela conversão dos pecadores e, segundo as possibilidades, animá-los e instruí-los a que se confessem ou rezem o ato de contrição.

- **O QUE DIZER DOS RITOS PENITENCIAIS, COMO PREPARAÇÃO COMUNITÁRIA PARA A CONFISSÃO INDIVIDUAL?**

São utilíssimos.

61ª LIÇÃO – O SACRAMENTO DA UNÇÃO DOS ENFERMOS

- **O QUE NOS DIZ SÃO TIAGO APÓSTOLO SOBRE A UNÇÃO DOS ENFERMOS?**

(Tg 5,14-15): *"Está alguém enfermo entre vós? Mande chamar os presbíteros da Igreja e rezem sobre ele, ungindo-o com óleo em nome do Senhor; e a oração da fé salvará o enfermo e o Senhor o aliviará, e os pecados que tiver cometido lhe serão perdoados".*

- **O QUE É, PORTANTO, O SACRAMENTO DA UNÇÃO DOS ENFERMOS?**

A unção dos enfermos é o sacramento instituído por Nosso Senhor para o bem espiritual e temporal dos enfermos. Devemos ter profunda gratidão a Jesus que, em sua bondade, quer estar conosco na doença, nos sofrimentos e na hora da morte.

- **QUAIS SÃO AS GRANDES GRAÇAS QUE NOS CONFERE A UNÇÃO SACRAMENTAL DOS ENFERMOS?**

Esse sacramento:

1º) aumenta em nós a graça santificante;

2º) fortalece-nos e nos anima na doença e nas dores;

3º) perdoa-nos os pecados e as penas devidas aos pecados;

4º) às vezes, realiza a cura extraordinária do paciente, como mostra a experiência;

5º) sempre anima e conforta o doente na hora da agonia.

• QUANDO SE PODE RECEBER A UNÇÃO DOS ENFERMOS?

1º) quando a pessoa estiver seriamente doente;

2º) quando for muito idosa;

3º) quando tiver sofrido um acidente sério. Nesses casos, ou em casos semelhantes, pode-se e deve-se receber esse sacramento;

4º) não se deve esperar que o doente esteja em perigo imediato de morte.

• QUE ORIENTAÇÕES E INSTRUÇÕES PRÁTICAS DEVEM SER DADAS, COM INSISTÊNCIA, AOS FIÉIS, SOBRE ESSE IMPORTANTE SACRAMENTO?

1º) Receber a unção dos enfermos é receber o sacramento especial que Cristo, em sua bondade e sabedoria, instituiu para o bem temporal e espiritual dos enfermos.

2º) Receber o sacerdote não é para o doente receber um mensageiro da morte, mas é receber o representante de Cristo Salvador.

3º) Chamar o sacerdote para atender a um doente é prestar-lhe uma imensa caridade.

- **Como devemos dispor nossos irmãos doentes para receber a santa unção?**

1º) Devemos animá-los a receber esse sacramento com fé e confiança em Jesus, que o vem visitar na pessoa do sacerdote.

2º) Animá-lo à conformidade com a vontade de Deus. Essa conformidade à vontade de Deus é um ato de amor que perdoa os pecados e o salvará.

- **Quais são as palavras sagradas da administração desse sacramento?**

O sacerdote unge o enfermo na fronte e nas mãos e diz: "Por esta santa unção e pela sua piíssima misericórdia, o Senhor venha em teu auxílio com a graça do Espírito Santo, para que liberto dos teus pecados ele te salve e, na sua bondade, alivie os teus sofrimentos!" (Amém.)

Verdadeiramente sublimes, essas palavras sacramentais são, ao mesmo tempo, confortadoras.

62ª LIÇÃO – O SACRAMENTO DA ORDEM

- **O que é o sacramento da ordem, ou a ordenação sacerdotal?**

A ordem, ou a ordenação sacerdotal, é o sacramento que confere o poder divino de exercer os ministérios sagrados e que imprime o caráter sagrado de ministro de Deus.

- **Quais são os ministérios sagrados conferidos aos sacerdotes pela ordenação sacerdotal?**

Os sacerdotes legitimamente ordenados recebem os seguintes poderes sagrados:

1. o divino poder de celebrar o santo sacrifício da missa;
2. o poder divino de perdoar os pecados;
3. o poder divino de administrar os outros sacramentos;
4. além disso, o sacerdote recebe o direito e a sagrada incumbência de pregar oficialmente a palavra divina ao povo de Deus e de governar como pastor das almas.

- **De onde provêm esses poderes divinos de exercer esses ministérios sagrados?**

Esses poderes divinos, como atesta a Sagrada Escritura, foram conferidos por Jesus Cristo aos apóstolos, para que os transmitissem a seus sucessores, isto é, aos bispos e aos sacerdotes.

Quanto à missa: "Fazei isto em memória de Mim" (Lc 22,19).

Quanto ao poder de perdoar os pecados: (Jo 20,22-23).

(Jo 20,21): *"Como o Pai me enviou assim também eu vos envio"*.

Poder de pregar e batizar (Mt 28,19-20).

UM CAPÍTULO ESPECIAL PARA AS FAMÍLIAS E FIÉIS

Breve apêndice sobre a Ordem e a Vocação Sacerdotal

- **Em que consiste a vocação sacerdotal?**

A vocação sacerdotal, ou a vocação para o sacerdócio, consiste em um misterioso chamamento divino para cooperar com o Cristo na obra divina da redenção.

- **COMO SE MANIFESTA ESSA VOCAÇÃO?**

Manifesta-se:
1. em uma vontade firme de seguir o Cristo Redentor;
2. em aspirar ao sacerdócio por um sagrado idealismo;
3. em orientar-se sempre por uma nobre e reta intenção.

- **EM QUE CONSISTE ESSA NOBRE E RETA INTENÇÃO?**

Essa nobre e reta intenção, esse sagrado idealismo, que por parte do vocacionado é decisivo, consiste em entrar para o estado eclesiástico:
1. para a glória de Deus;
2. e com o mais sincero intento primordial de colaborar com o Cristo na obra divina da salvação dos nossos irmãos.

- **E A IGREJA E OS SACERDOTES NÃO SE INTERESSAM PELO BEM TEMPORAL E SOCIAL DOS HOMENS?**

Sim, e muitíssimo. Como? Pregando, vivendo e fazendo viver o Evangelho. Pois a única e verdadeiramente eficiente forma de melhorar a situação temporal e social dos nossos irmãos reside no Evangelho, nas normas dadas por Cristo.

- **QUAIS SÃO ESSAS DIVINAS NORMAS?**

São:
1. o exemplo de Cristo;
2. suas palavras e leis que se compendiam nas oito bem-aventuranças e se resumem nas palavras que serão as últimas palavras da história da humanidade: "Tudo o que tiverdes feito a meus irmãos, a Mim o fizestes". Se essas verdades não melhorarem o mundo, todos os outros re-

cursos, em si úteis e bem-intencionados, não conseguirão nem melhorar, nem vencer os ódios, as ambições, nem os egoísmos de riquezas e de mando que tanto convulsionam e infelicitam a pobre humanidade.

• O QUE DEVEMOS DIZER SOBRE AS VOCAÇÕES DE IRMÃOS E FREIRAS?

1º) A vocação ao estado religioso de Irmãos e Freiras é uma vocação sobrenatural e extraordinária que Deus oferece às pessoas para a própria santificação e para um apostolado santificador junto aos irmãos.

2º) Essa vocação sobrenatural e extraordinária exige grandes sacrifícios e renúncias e, por isso, deve ser cultivada e vivida com meios sobrenaturais, especialmente com muita oração e amor sincero ao Cristo Crucificado e à divina Eucaristia.

• QUAIS SÃO OS DEVERES DOS FIÉIS PARA COM OS VOCACIONADOS, AQUELES QUE SE SENTEM CHAMADOS AO SACERDÓCIO E À VIDA RELIGIOSA?

1. Os pais devem dar aos filhos liberdade para seguir a vocação sacerdotal e religiosa.

2. Os fiéis devem rezar, com preces fervorosas, para que Deus nos mande santos sacerdotes e religiosas.

3. Os pais, educadores e formadores, saibam que a missa bem-compreendida e bem-vivida é a mais divina e mais animadora motivação da vocação sacerdotal e religiosa; é a mais necessária e decisiva força para os jovens serem fiéis à sua vocação de seguirem o Cristo até o Calvário redentor.

63ª LIÇÃO – O SACRAMENTO DO MATRIMÔNIO

• O QUE É O SACRAMENTO DO MATRIMÔNIO?

O matrimônio é um sacramento que santifica com graças especiais o amor e a união do homem e da mulher, para serem dignos e felizes esposos e pais.

• QUEM INSTITUIU O SACRAMENTO DO MATRIMÔNIO?

Deus mesmo instituiu o matrimônio no paraíso e Jesus, o redentor, elevou o matrimônio à dignidade sagrada de sacramento.

(Ef 5,32): *"Este sacramento é grande – e eu o digo – em Cristo e na Igreja"*.

• QUAIS SÃO AS GRAÇAS QUE CONFERE AO SACRAMENTO DO MATRIMÔNIO?

O sacramento do matrimônio confere as graças seguintes:

1. aumenta a graça santificante;
2. confere aos esposos graças sacramentais especiais para cumprirem bem os deveres sagrados (às vezes tão pesados!) de seu estado de esposos, de pais e de educadores;
3. eleva e conforta espiritualmente os esposos, recordando-lhes que como pais são cooperadores de Deus criador e como educadores são corredentores de seus filhos, educando-os na lei de Cristo e da Igreja.

• QUAIS SÃO OS DEVERES SAGRADOS – ÀS VEZES TÃO PESADOS – DOS ESPOSOS?

Os esposos devem:

1. guardar perfeita, inviolável e sagrada fidelidade conjugal, como prometeram ao pé do altar;

2. amar-se com amor dedicado e sincero "na alegria e na tristeza, na saúde e na doença", todos os dias da vida;

3. "empenhar-se com todo desvelo para dar ou proporcionar aos filhos uma sólida e profunda formação cristã".

• COMO PODEM OS PAIS REALIZAR ESSE DEVER SAGRADO – O MAIS IMPORTANTE DE TODOS – NA EDUCAÇÃO E FORMAÇÃO DOS FILHOS?

As dificuldades atuais são muito grandes e complexas...

Por isso, torna-se necessário firmar a formação religiosa com o exemplo de uma sincera vivência religiosa, pela oração em família e pela fidelidade às práticas religiosas.

Questões atuais referentes ao Matrimônio

• O QUE DIZER DO DIVÓRCIO?

O matrimônio cristão, que é um sacramento, é indissolúvel. Só pode ser dissolvido pela morte de um dos cônjuges.

(Lc 16,18): *"Todo aquele que repudiar sua mulher e se casar com outra comete um adultério".*

• O QUE DIZER DA ASSIM CHAMADA LEGALIZAÇÃO DO DIVÓRCIO?

Como católicos, devemos dizer: "Nenhuma autoridade humana, civil, pode anular um casamento cristão porque é um sacramento divino".

(Mt 19,6): *"O homem (autoridade humana!) não separe o que Deus uniu!"* – diz o Cristo, divino e supremo legislador.

• O QUE DIZER DO DESQUITE?

Se, por razões muito graves, realizar-se um desquite como único remédio para uma situação dolorosa, os esposos desquitados se lembrem de que continuam casados e que, portanto, não podem realizar novo casamento válido.

IV PARTE
VIVENDO NOSSA VIDA DIVINA

64ª LIÇÃO – BREVE ESTUDO SOBRE AS VIRTUDES CRISTÃS

- **O QUE É A VIRTUDE CRISTÃ?**

A virtude cristã é um hábito que nos aperfeiçoa sobrenaturalmente e que torna mais fácil a prática do bem e da perfeição cristã.

(Mt 5,48): *"Sede perfeitos como também vosso Pai do céu é perfeito"*.

- **COMO SE CLASSIFICAM AS VIRTUDES?**

As virtudes se classificam em virtudes teologais e em virtudes morais.

- **O QUE SÃO AS VIRTUDES TEOLOGAIS?**

Virtudes teologais são as virtudes que se referem diretamente a Deus. São a fé, a esperança e a caridade.

Essas virtudes nos são infundidas com a graça santificante.

- **O QUE SÃO AS VIRTUDES MORAIS?**

As virtudes morais são aquelas que orientam e regulam nossa conduta moral segundo os ditames da razão, iluminada pela fé.

As virtudes morais fundamentais, também chamadas virtudes cardeais, são a prudência, a justiça, a fortaleza e a temperança.

Nessas virtudes cardeais estão como que integradas as outras virtudes morais.

65ª LIÇÃO – FÉ, ESPERANÇA E CARIDADE

I. As virtudes teologais:

• EM QUE CONSISTE A VIRTUDE DA FÉ?

A fé é a virtude infusa, divina, pela qual nós, iluminados pela graça divina, cremos:

1º) na existência de Deus;

2º) nas verdades que Deus revelou e que nos ensina pela Igreja.

Agradeçamos sempre a Deus esse dom divino, essa luz divina, que nos faz aceitar as verdades sobrenaturais que nos orientam para a vida eterna. (Mc 16,16): *"O que crer será salvo; o que, porém, não crer será condenado"*. Gostemos de rezar, felizes e agradecidos, o "Creio em Deus" e a jaculatória: "Creio, aumentai a minha fé".

• EM QUE CONSISTE A VIRTUDE DA ESPERANÇA?

A esperança é a virtude que nos faz esperar com humilde certeza as graças necessárias para alcançarmos o céu.

• QUAL É A RAZÃO E O FUNDAMENTO DA NOSSA ESPERANÇA?

A razão de nossa esperança são os merecimentos de Jesus, nosso Redentor. (Sl 146,11): *"O Senhor se agrada daqueles que esperam em sua misericórdia"*.

(Rm 12,12): *"Alegrai-vos na esperança!"* Rezemos sempre: *"Cristo, tenho confiança em Vós!"*

• EM QUE CONSISTE A CARIDADE?

A caridade é a virtude sobrenatural pela qual nós, ajudados pela graça divina, amamos a Deus sobre todas as coisas e o próximo como a nós mesmos.

(Mt 22,37ss.): *"Amarás ao Senhor teu Deus de todo o teu coração, de toda a tua alma e de todo o teu entendimento"*.

Façamos sempre atos de amor! O ato de amor perfeito, como também o ato de contrição perfeita – que é contrição por amor – unido ao desejo de confessar-se, perdoa os pecados e nos abre as portas do céu.

II. Virtudes cardeais

• O QUE NOS ENSINAM AS QUATRO VIRTUDES CARDEAIS?

1º) A prudência cristã nos ensina e nos faz procurar, em primeiro lugar, a Deus e a nossa salvação eterna, como bem supremo, preferível a todos os bens deste mundo.

2º) A justiça cristã nos faz dar a cada um o que lhe pertence, vencendo o egoísmo e qualquer interesse pessoal.

3º) A fortaleza nos ajuda:

a) a vencer as tentações: "Não nos deixeis cair em tentação";

b) a carregar com paciência as cruzes da vida, por amor a Deus;

c) a enfrentar a luta, e mesmo a morte, em defesa da religião.

Milhões de mártires nos dão, dessa virtude, o mais comovente exemplo.

4º) A temperança nos ensina:
a) a controlar nossas más inclinações;
b) e a usar com moderação os bens deste mundo, orientando o uso desses bens para a nossa salvação e para o bem do próximo.

III. As bem-aventuranças

- **QUAIS SÃO AS GRANDES VIRTUDES MORAIS QUE CRISTO RECOMENDA NO EVANGELHO?**

Cristo nos recomenda, ou melhor, ordena-nos seguir com fidelidade o caminho traçado pelas bem-aventuranças, que formam um maravilhoso resumo de seu exemplo divino. Às bem-aventuranças se encontram expostas no capítulo 5º de São Mateus. Damos a seguir uma breve síntese das virtudes contidas nas bem-aventuranças. Elas nos ensinam:

1º) o sincero desapego dos bens terrenos;
2º) a mansidão caridosa para com o próximo;
3º) o espírito de penitência;
4º) o esforço sincero para alcançar a santidade;
5º) a misericórdia e a justiça para com os irmãos;
6º) a pureza de coração;
7º) o amor à paz e à concórdia;
8º) a coragem heroica em sofrer pela religião e pela justiça.

Seguir esse roteiro evangélico é suprema garantia de felicidade na terra e no céu.

IV. Os conselhos evangélicos

- **QUAL É O CAMINHO VERDADEIRO PARA ALCANÇAR A PERFEIÇÃO CRISTÃ?**

O caminho verdadeiro da perfeição cristã é imitar Cristo Jesus e segui-lo com amor no caminho do Calvário. (Lc 9,23): *"Se alguém quiser seguir-me, abnegue-se, tome a sua cruz e me siga"*.

"Abnegue-se" quer dizer: um grande "não" a si mesmo e um total "sim" ao Cristo crucificado: caminho esse traçado pelos **conselhos evangélicos.**

• Quais são os conselhos evangélicos?

Os conselhos evangélicos são:
1º) a pobreza voluntária;
2º) a castidade perpétua;
3º) a obediência perfeita.

Esses conselhos não são ordens, mas, sim, um luminoso caminho para pessoas escolhidas alcançarem, com mais facilidade, a perfeição cristã. Eles sempre foram e continuam sendo um grande apelo e convite feito aos corações generosos para a santidade e para o apostolado.

V. Os dons do Espírito Santo

• O que são os sete dons do Espírito Santo?

Os dons do Espírito Santo são graças especiais que Deus infunde em nós no batismo, com a graça santificante, e que, piedosamente vivenciados, ajudam a seguir, com muito maior facilidade e perfeição, as inspirações divinas no esforço para alcançar a santidade.

Os sete dons do Espírito Santo são:
1. Sabedoria.
2. Inteligência.
3. Conselho.
4. Fortaleza.
5. Ciência.
6. Piedade.
7. Temor filial de Deus.

66ª LIÇÃO – O PECADO

• O QUE É PECADO?

O pecado é uma livre e consciente desobediência à lei de Deus, ou seja, aos mandamentos de Deus e da Igreja. Essa desobediência à lei de Deus ofende sua divina soberania. Por isso dizemos também que o pecado é uma ofensa a Deus, falta de amor.

• Como conhecemos que uma ação é pecado?

Conhecemos que uma ação é pecado:

1º) pela voz de Deus que nos fala pelos mandamentos divinos;

2º) pela voz da consciência, ou seja, pela voz de Deus que nos fala interiormente;

3º) pela voz do remorso, que é a voz do Pai e juiz que nos chama a voltar a Ele ou que nos acusa intimamente, caso tenhamos pecado.

• Quando um pecado é, em si, pecado grave?

Um pecado é, em si, pecado grave ou pecado mortal:

1º) quando é transgressão de um mandamento divino ou da Igreja em matéria grave;

2º) quando essa transgressão é cometida com pleno conhecimento da gravidade moral dessa ação;

3º) quando é cometida com pleno consentimento da vontade.

Se faltar alguma dessas três condições, só haverá pecado venial ou leve.

• Portanto, quando cometemos um pecado venial?

Cometemos um pecado venial quando transgredimos a lei divina em matéria leve, ou sem perfeito conhecimento, ou sem pleno consentimento da vontade.

• Por que a transgressão grave dos mandamentos de Deus ou da Igreja se chama pecado mortal?

Essas transgressões graves se chamam pecado mortal pelas razões seguintes:

1º) porque destroem ou "matam" em nós a vida divina da graça santificante;

2º) porque nos roubam ou destroem o direito à vida eterna no céu;

3º) porque nos tornam merecedores do castigo e do sofrimento do inferno, que é chamado "a morte eterna".

• O que devemos considerar para melhor compreender a malícia misteriosa do pecado?

O pecado encerra uma imensa e misteriosa malícia:

1º) porque é uma ofensa feita à divina majestade de Deus, nosso criador e senhor;

2º) porque é uma dolorosa ingratidão para com Jesus Cristo, nosso Redentor, que morreu na cruz por causa dos pecados dos homens;

3º) e porque também é contra o amor para com os outros e nos torna merecedores dos castigos divinos.

• Por que devemos nos esforçar seriamente para evitar também o pecado venial?

Devemos nos esforçar seriamente para evitar o pecado venial pelas razões seguintes:

1º) porque todo pecado é uma ofensa a Deus, nosso Pai e Benfeitor;

2º) porque nos priva de muitas bênçãos divinas;

3º) porque os pecados veniais, cometidos com frequência, levam-nos a cair no pecado mortal e tolhem o progresso nas virtudes.

(Eclo 19,1): *"Aquele que se descuida das coisas pequenas cairá pouco a pouco"*.

67ª LIÇÃO – ESPÉCIES DE PECADO

• DE QUANTOS MODOS PODEMOS PECAR?

Podemos pecar, como diz a linda e humilde oração litúrgica "Confesso a Deus", por pensamentos, palavras, atos e omissões.

• QUANDO COMETEMOS PECADOS POR PENSAMENTOS E DESEJOS?

Notemos a seguinte consideração importante: Pensamentos e desejos, quando surgem em nosso espírito, ainda não são pecados. São tentações perigosas. Mas, quando livre e culposamente nelas consentimos, tornam-se pecados. E, quando resistimos, fazemos atos virtuosos e meritórios. Por exemplo, podemos ser assaltados por pensamentos e desejos, de ódio, de vinganças, e outros maus pensamentos e desejos, mas, afastando-os, não cometemos pecado e fazemos atos virtuosos.

• QUANDO PECAMOS POR PALAVRAS E AÇÕES?

Pecamos por palavras, quando falamos ou conversamos coisas más ou pecaminosas. Pecamos por ações, quando fazemos coisas más ou nelas colaboramos.

• Quando pecamos por omissão?

Pecamos por omissão:

1º) quando não fazemos o bem que deveríamos e poderíamos fazer;

2º) quando deixamos de cumprir, culposamente, uma obrigação imposta pela lei de Deus e da Igreja, por exemplo, quando por culpa deixamos de participar da missa aos domingos.

• Que espécies de pecados costumamos distinguir?

Embora todos os pecados, em última razão, sejam contra a lei de Deus, costumamos salientar as seguintes categorias de pecados:

1º) os assim chamados pecados ou vícios capitais;
2º) os pecados contra o Espírito Santo;
3º) os pecados que bradam ao céu.

• O que se entende por vícios capitais?

Os vícios capitais designam, primordialmente, as más tendências e más inclinações da nossa natureza decaída pelo pecado original. Em si, essas más inclinações ainda não são pecados. Como, porém, facilmente arrastam para o pecado, são chamados também pecados capitais. Exemplifiquemos esse assunto difícil e importante. Também os santos têm essas tendências para o mal, para o orgulho, ódio etc. Mas ficaram santos combatendo e vencendo com o auxílio da graça divina. É a grande e animadora lição que eles nos dão. Procuremos imitá-los.

- **QUAIS SÃO OS VÍCIOS CAPITAIS, OU SEJA, ESSAS NOSSAS PROFUNDAS INCLINAÇÕES PARA O MAL?**

São:

1. a soberba; **2.** a avareza; **3.** a luxúria; **4.** a inveja; **5.** a gula; **6.** a ira; **7.** a preguiça.

- **COMO SE DEVE COMBATER OS VÍCIOS CAPITAIS?**

1º) A soberania, que é a exagerada estima de si próprio, combate-se pela humildade.

2º) A avareza. É o desordenado amor ao dinheiro e às riquezas. Combate-se pela justiça, liberalidade e caridade.

3º) A luxúria. É o desregrado abuso do sexo. Combate-se pela castidade e pureza em pensamentos, palavras e ações.

4º) A inveja. Consiste em entristecer-se porque outros possuem bens, talentos e boas qualidades. Combate-se pela caridade obsequiosa e generosa, procurando alegrar-se com a felicidade alheia e promovê-la.

5º) Gula. Consiste na intemperança no comer e beber. Combate-se pela moderação e pela mortificação.

6º) Ira ou raiva, ou rancor. Consiste em deixar-se dominar e arrastar por esses sentimentos. Combate-se pela mansidão, compreensão e pela humilde aceitação do outro.

7º) A preguiça que foge do trabalho, do esforço, faltando até aos deveres mais sagrados. Combate-se pelo amor ao trabalho, pela fidelidade aos próprios deveres e pelo zelo nas boas obras e obrigações religiosas e do próprio estado.

- **POR QUE ALGUNS PECADOS SE CHAMAM PECADOS CONTRA O ESPÍRITO SANTO?**

O Espírito Santo é o Espírito da Verdade e do Amor. Alguns pecados possuem tal malícia que ferem frontalmente, de modo direto, a verdade e o amor divino. É por essa razão que são chamados pecados contra o Espírito Santo.

• Quais são os pecados contra o Espírito Santo?

São os seguintes:

1º) desesperar da salvação, isto é, não querer recorrer humildemente à misericórdia divina;

2º) presunção de se salvar sem merecimentos, isto é, esperar abusivamente só na misericórdia divina;

3º) contradizer à verdade conhecida como tal, isto é, opor-se, contradizer cinicamente à verdade que se conhece ser verdade;

4º) ter inveja dos favores que Deus concedeu a outra pessoa, isto é, querer prejudicar, opor-se a outras pessoas por causa dos dons, das boas qualidades que Deus lhes concedeu, e isso por uma detestável inveja;

5º) obstinação no pecado, isto é, ímpia revolta contra Deus, recusando os conselhos e os meios que lhe trariam a salvação;

6º) impenitência final, isto é, obstinar-se propositalmente no pecado na hora da morte, recusando a reconciliação com Deus.

• Quais são os PECADOS QUE BRADAM AOS CÉUS?

Chamam-se "pecados que bradam aos céus" certos pecados cometidos contra nossos irmãos, que gritam pedindo à Justiça divina um justo e severo castigo. São principalmente os seguintes:

1º) Homicídio voluntário. Pertence a essa categoria de pecados o aborto voluntário e criminoso. "Os homens matam os filhos que Deus quis dar e as guerras matam os filhos que eles quiseram".

2º) O pecado impuro, sensual contra a natureza.

(Gn 18,20): *"O clamor de Sodoma e Gomorra aumentou e o seu pecado agravou-se extraordinariamente"*.

3º) Oprimir os *pobres, órfãos e viúvas*.

(Eclo 35,18-19): *"As lágrimas das faces das viúvas sobem, isto é, clamam até o céu..."*

4º) Negar o justo salário aos que trabalham.

(Eclo 34,26): *"Quem tira de um homem o pão de seu trabalho é como o assassino do seu próximo"*.

- **O QUE DIZER DA BLASFÊMIA E DA REVOLTA CONTRA DEUS?**

A blasfêmia consciente – muitos blasfemam por mau hábito —, a revolta satânica contra Deus, assim como os pecados que se cometem por pura malícia, isto é, com a vontade expressa de ofender e injuriar a Deus, devem ser contados entre os mais graves e horrendos pecados.

68ª LIÇÃO – O IMPORTANTE E CONSOLADOR ESTUDO SOBRE A ORAÇÃO

- **O QUE É REZAR?**

I. Rezar é elevar nosso espírito a Deus:

a) para adorá-lo e louvá-lo como nosso Criador e Senhor;

b) para lhe dar graças como nosso benfeitor;

c) Para lhe pedir graças e bênçãos como nosso bondoso Pai.

II. Rezar é também falar cordial e filialmente com Deus, nosso Criador, nosso Benfeitor e nosso Pai.

É também rezar o falar com Cristo Jesus no sacrário, com Nossa Senhora, com os anjos ou com os santos.

III. Enfim, é também rezar o ouvir com fé e com amor a Jesus, que nos fala pelo Evangelho, ou por alguma boa inspiração, ou pela Liturgia, ou por alguma oração em comum.

• POR QUE DEVEMOS REZAR?

Devemos rezar pelas grandes razões seguintes:

1º) porque Deus o manda expressamente. (Lc 18,1): *"É necessário rezar sempre e não deixar de o fazer"*;

2º) porque é sagrada obrigação nossa adorar o Criador e louvar a Deus, nosso Criador e Senhor. (Ef 5,19): *"Cantai e entoai salmos ao Senhor"*;

3º) porque devemos manifestar a Deus, nosso maior benfeitor, a mais sincera gratidão. (1Ts 5,18): *"Por tudo, dai graças ao Senhor, porque essa é a vontade de Deus"*.

• HÁ, ALÉM DESSAS, OUTRAS RAZÕES QUE NOS MOVEM A REZAR?

Sim. Há outras importantes razões que nos devem fazer rezar com fé:

1º) a oração é necessária à nossa eterna salvação. "Quem reza sempre se salva";

2º) a oração nos alcança o perdão dos nossos pecados. "Perdoai as nossas ofensas" – assim nos ensinou Jesus a rezar;

3º) a oração nos alcança todas as graças e auxílios necessários e úteis. (Mt 7,7): "Pedi e vos será dado".

(Jo 16,23): *"Em verdade, em verdade, Eu vos digo: se vós pedirdes a meu Pai alguma coisa em meu nome, ele vo-la dará"*.

- ### Qual é a mais comovente e decisiva razão que nos leva a rezar sempre?

É o divino exemplo de Jesus!

Exemplo sempre imitado pelos santos, exemplo sempre seguido pela Igreja que é, pela liturgia, a fidelíssima e perpétua orante.

- ### Quando devemos rezar?

Devemos rezar principalmente:

1º) pela manhã e à noite; antes e depois das refeições;

2º) nos perigos e nas tentações para pedirmos a proteção divina;

3º) devemos dar a maior importância à oração nos domingos e dias santos, participando piedosamente do santo sacrifício da missa e da santa comunhão.

- ### Como atendemos à palavra de Jesus: "É necessário rezar sempre e não deixar de fazê-lo" (Lc 18,1)?

Rezamos sempre:

a) Lembrando-nos, com frequência, de Deus.

b) Oferecendo, pela boa intenção, a Deus nossas ocupações, nossos trabalhos, nossas alegrias e nossos sofrimentos.

É uma bela fórmula de boa intenção: "Seja tudo por amor de Deus!"

- ### Quais são as grandes qualidades que deve ter nossa oração?

1º) Devemos rezar com fé e confiança. Temos certeza de que Deus sempre atende às nossas orações feitas com as devidas disposições. "Em verdade, em verdade, eu vos digo, se pedirdes alguma coisa a meu Pai, em meu nome, Ele vo-la dará". (Mc 11,24): *"Por isso, Eu vos digo: Todas as coisas que pedirdes orando, crede que as haveis de conseguir e que as obtereis".*

2º) Devemos rezar com humildade. Cremos que nossas orações têm eficácia infalível pelos méritos de Cristo e que, por essa razão, seremos atendidos, apesar de nossa indignidade.

3º) Devemos rezar por nossos parentes, amigos e benfeitores; por nossos amigos e inimigos.

4º) Devemos rezar pela Igreja, pelo papa, pelos bispos, sacerdotes, religiosos e pelas vocações.

5º) Devemos rezar pela Pátria e pelos governantes.

6º) Devemos rezar pelas almas do purgatório. Essa oração é um grande ato de caridade.

69ª LIÇÃO – A ORAÇÃO DOMINICAL

- **Qual é a mais bela e a mais excelente das orações?**

A mais bela e a mais excelente das orações é o "Pai-Nosso", porque foi ensinada por Jesus mesmo. Deus feito homem e sabedoria divina. Chama-se também "oração dominical" por ter sido ensinada por Nosso Senhor.

I. Breve explicação do Pai-Nosso

O Pai-Nosso consta de invocação inicial e de sete pedidos, que encerram um maravilhoso programa de vida individual e social:

PAI NOSSO, QUE ESTAIS NO CÉU.

Por essa invocação, nós chamamos a Deus nosso Pai do céu, porque pela graça santificante, que é a misteriosa participação da vida divina, Deus é verdadeiramente nosso Pai.

Dizemos "nosso", para vivermos mais profundamente a verdade de que somos irmãos em Cristo.

II. Os sete pedidos

Primeiro pedido: Santificado seja o vosso nome

Pelo primeiro pedido, suplicamos que Deus seja mais conhecido e mais amado por todos os homens. Esse primeiro pedido é, assim, uma oração apostólica.

Segundo pedido: venha a nós o vosso reino

Por esse pedido, suplicamos ao Pai que venha a nós o reino da graça pela difusão da Igreja e venha a nós o reino da glória do céu.

Terceiro pedido: seja feita a vossa vontade, assim na terra como no céu

Com essas palavras, pedimos ao Pai que os homens cumpram a vontade divina, como o fazem os anjos do céu. É um pedido grande e importante.

Se os homens atendessem ao que esse pedido encerra, o mundo se transformaria em um reino de paz. Se os sofredores rezassem com fé e amor essas palavras, todos se transformariam em grandes santos.

Quarto pedido: o pão nosso de cada dia nos dai hoje

Com essas palavras tão singelas, pedimos o nosso sustento diário para o corpo e também o alimento para a alma: a comunhão. Se os homens procurassem sinceramente a comunhão, alimento divino que une as almas, não sentiriam a injustiça e a ambição das riquezas que tanto desune os corações.

Quinto pedido: perdoai-nos as nossas ofensas, assim como nós perdoamos a quem nos tem ofendido

Esse pedido não só nos fala animadoramente do Pai que sempre perdoa, mas é também um pedido que tem algo de seriamente comprometedor. Devemos perdoar, para sermos perdoados. Jesus mesmo comentou essa verdade em (Mc 11,26): "Se vós não perdoardes, também vosso Pai, que está no céu, não perdoará vossas ofensas". Jesus ensina essa verdade tão importante e, às vezes, tão difícil também, com a parábola do servo cruel. Ele foi perdoado, mas não quis perdoar.

Sexto pedido: e não nos deixeis cair em tentação

Misteriosamente, Jesus não nos ensina a pedir a Deus que nos livre das tentações, mas nos manda pedir a graça de não sermos vencidos pela tentação. Sofrer tentações e vencê-las é uma vitória espiritual que nos traz muitos merecimentos e progressos nas virtudes e nos alcança muitas graças.

(Tg 1,12): *"Feliz o homem que sofre com paciência a tentação! Porque depois de ter sido provado, receberá a coroa da vida"*.

Sétimo pedido: mas livrai-nos do mal

Com essas palavras Jesus nos ensina a pedir:

1º) que Deus nos livre do pecado – o único mal verdadeiro;

2º) que nos livre do mal eterno – o inferno.

"Amém." Essa palavra encerra um pedido e um desejo: "Que tudo isso que pedimos se realize" segundo o ensinamento de Jesus!

70ª LIÇÃO – A SAUDAÇÃO ANGÉLICA E O ROSÁRIO

- **Qual é a oração que devemos rezar com mais fé e confiança depois do Pai-nosso?**

Depois do Pai-Nosso, devemos rezar com muita confiança e piedade filial a lindíssima oração chamada "Ave-Maria" ou "Saudação Angélica". É uma saudação trazida do céu pelo anjo.

- **Quais as razões para essa preferência?**

São as seguintes:

1º) A Ave-Maria nos lembra do mistério da Encarnação. Deus se fez homem para nos salvar. "Bendito é o fruto do vosso ventre, Jesus".

2º) Lembra-nos dos misteriosos privilégios concedidos à Mãe de Jesus: "cheia de graça", "o Senhor é convosco", "bendita entre as mulheres" e a "maternidade divina".

3º) A saudação angélica é para nós a oração confiante e cordial dos filhos à mãe celestial: "Rogai por nós agora, nesta vida, e na hora decisiva de nossa morte".

4º) Além disso, sabemos que a Saudação Angélica é composta pelas palavras do Arcanjo Gabriel, de Santa Isabel, inspirada pelo Espírito Santo e pelas palavras sagradas da Igreja.

• Qual é a prática de devoção a Nossa Senhora mais recomendada?

É a piedosa recitação do Rosário. O Rosário é a devoção mais recomendada por sua grande riqueza espiritual:

1º) o Rosário nos faz meditar e contemplar os grandes mistérios da vida, paixão, morte e ressurreição de Jesus; de sua Ascensão ao céu e da portentosa fundação da Igreja com a vinda do Espírito Santo;

2º) no Rosário, repetimos com amor o "Pai-Nosso", a bela doxologia "Glória ao Pai" e a "Ave-Maria";

3º) além disso, costumamos iniciar a recitação do Rosário com a milenar profissão de fé do símbolo dos apóstolos, o "Creio em Deus Pai";

4º) e costumamos encerrar o Rosário com a maravilhosa e dulcíssima oração: "Salve, Rainha, Mãe de misericórdia, doçura e esperança nossa, salve!"

• Há ainda outras razões para estimarmos o Rosário de Nossa Senhora?

Sim. É uma das orações mais recomendadas pelo Papa nos últimos séculos: "O terço é minha oração predileta" (João Paulo I).

ÍNDICE

Duas palavras de apresentação 3
Orações do Cristão 5
1ª: A primeira grande pergunta 11

I Parte – Nossa Fé – Os grandes mistérios 13
2ª: O mistério mais luminoso: Deus 13
3ª: Perfeições divinas 14
4ª: O mistério mais profundo 15
5ª: As maravilhosas criaturas celestiais – Os Anjos 16
6ª: O sinal da nossa fé 18
7ª: Deus – Nós e o Universo 19
8ª: O Homem – a mais nobre e perfeita criatura da terra 20
9ª: Um capítulo triste na história dos
    nossos primeiros pais 21
10ª: Brilha a luz da misericórdia divina 22
11ª: O grande mistério da Encarnação 23
12ª: Maria Santíssima 25
13ª: São José 26
14ª: I. Vida oculta de Jesus 27
15ª: II. Vida pública de Jesus 28
16ª: III. Paixão e Morte de Jesus 30
17ª: IV. A Ressurreição de Jesus 31
18ª: V. A Ascensão de Jesus aos Céus 32
19ª: O Espírito Santo 33
20ª: A Santa Igreja 34
21ª: A Igreja Verdadeira 35
22ª: Organização divina da Igreja 37
23ª: A grande família dos filhos de Deus 38
24ª: A Igreja, mestra da verdade 40
25ª: A morte e a ressurreição dos homens 41

26ª: Juízo Final: A última página da
   história da humanidade...42
27ª: Juízo particular 43
28ª: Purgatório: uma consoladora verdade de nossa fé 43
29ª: O Céu: o hino feliz de nossa esperança 45
30ª: Inferno: A mais misteriosa manifestação
   da justiça divina 46

II Parte – Os mandamentos da Lei Divina 49
31ª: Amor – o maior mandamento 49
32ª: Os mandamentos da Lei de Deus 53
33ª: O primeiro mandamento da Lei de Deus......................54
34ª: A virtude da fé 56
35ª: A virtude da esperança 57
36ª: A virtude da religião 58
37ª: O segundo mandamento 60
38ª: Guardar os domingos e as festas
   religiosas de preceito..61
39ª: O quarto mandamento e a família 63
40ª: Quarto mandamento e as obrigações dos filhos
   para com os pais e dos irmãos entre si........................64
41ª: O quarto mandamento, a sociedade e as questões
   sociais em suas bases divinas 65
42ª: Quinto mandamento: Não matar, o divino
   mandamento do respeito sagrado à vida.................... 68
43ª: Sexto e nono mandamentos, os guardas divinos
   das fontes do amor e da vida 70
44ª: O sétimo e o décimo mandamentos, protetores
   do respeito aos bens alheios 72
45ª: Oitavo mandamento, o luminoso
   defensor da verdade.. 74
46ª: Mandamentos da Igreja, nossa mestra espiritual 76
47ª: O primeiro mandamento da Igreja................................78
48ª: O segundo mandamento da Igreja 79

49ª: O terceiro mandamento da Igreja:
aponta-nos o sacrário santificador 80
50ª: Quarto mandamento da Igreja: ensina o caminho
da penitência redentora 81
51ª: Quinto mandamento da Igreja: a Igreja
é tua casa religiosa 82

III Parte – Nossa elevação à vida divina 85
52ª: A graça divina: o mistério de tua grandeza divina 85
53ª: A graça atual: fonte de luzes e forças
divinas para as almas 87
54ª: A graça santificante: fonte de vida divina 88
55ª: Os Sacramentos: as grandes fontes da graça divina 90
56ª: O Batismo 92
57ª: A Confirmação ou Crisma 94
58ª: A Santíssima Eucaristia 96
59ª: O sacramento da Penitência 105
60ª: Questões atuais referentes ao
Sacramento da Penitência 113
61ª: O sacramento da Unção dos Enfermos 114
62ª: O sacramento da Ordem 116
63ª: O sacramento do Matrimônio 120

IV Parte – Vivendo nossa vida divina 123
64ª: Breve estudo sobre as virtudes cristãs 123
65ª: Fé, Esperança e Caridade 124
66ª: O pecado 128
67ª: Espécies de pecado 130
68ª: O importante e consolador estudo sobre a oração 134
69ª: A oração dominical 137
70ª: A Saudação Angélica e o Rosário 140